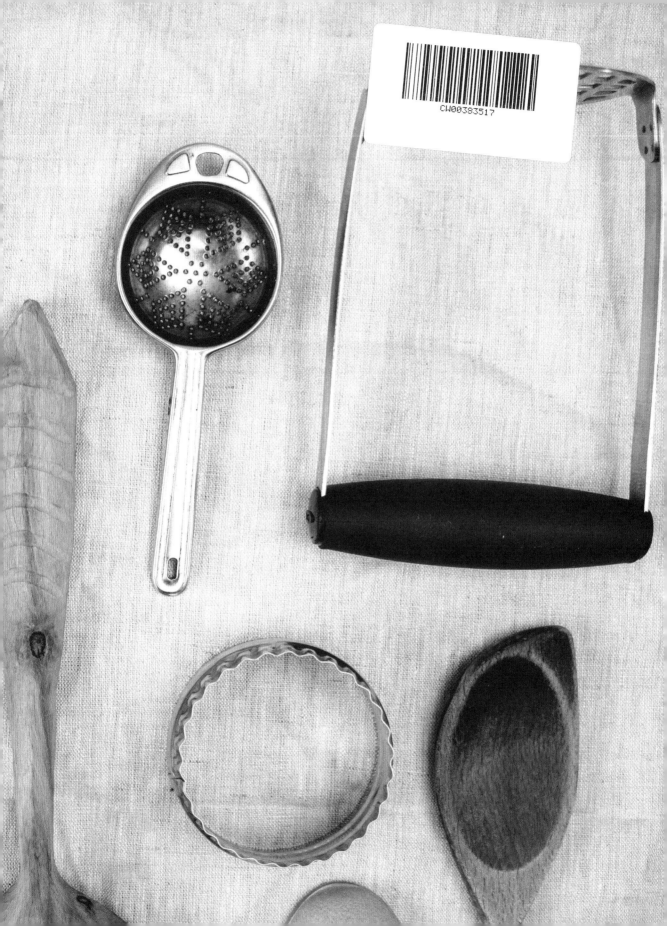

CW00383517

Casa Cadwaladr

Cyflwynedig i Meilir, Peris, Leri a Ceuron

Diolchiadau

Marred Glynn Jones a Gwasg y Bwthyn am weld y
posibilrwydd; Merched y Wawr am greu'r dudalen Curo
Corona'n Coginio ar Facebook ac i'r holl aelodau sydd wedi
fy nghefnogi a'm hysbrydoli – heb y dudalen, ni fyddai'r
syniad am y llyfr yma wedi codi; Rhian Parry o Fythynnod
Crugeran am gael defnyddio un o'i cheginau ar gyfer
tynnu lluniau; Kristina Banholzer am ei brwdfrydedd
a'i chreadigrwydd; y dylunydd Olwen Fowler am ddeall
fy ngweledigaeth a mynd â hi tu hwnt i fy nisgwyliadau;
Manon Llwyd, Elen ap Robert a Wendy Foulds am eu
cyngor a'u hanogaeth, ac yn arbennig i Andrew am
ei amynedd di-ben-draw a'i gefnogaeth fythol.

Hawlfraint
© Rhian Cadwaladr
© Gwasg y Bwthyn, 2021
ISBN: 978-1-913996-30-7

Cyhoeddwyd gyda chymorth ariannol Cyngor Llyfrau Cymru

Dylunio: Olwen Fowler
Llun y clawr: Kristina Banholzer
Lluniau mewnol: Kristina Banholzer, Rhian Cadwaladr

Cyhoeddwyd gan
Gwasg y Bwthyn
gwasgybwthyn@btconnect.com
www.gwasgybwthyn.cymru

Casa CADWALADR

Casgliad o ryseitiau ac atgofion

Rhian Cadwaladr

CYNNWYS

RHAGAIR

Dwi'n cofio'r pryd cynta 'nes i 'goginio' ar ben
fy hun. Dwi'm yn cofio faint oedd fy oed i, ond mi
roeddwn i'n ddigon hen i gyrraedd y bin bara. Doedd
Mam ddim adra ar y pryd, a finna wedi cymryd yn fy
mhen y baswn i'n gneud bwyd i Nhad – nid fod yn rhaid
iddo fo gael rhywun arall i wneud bwyd iddo. Roedd o
wedi bod yn *chef* yn yr awyrlu pan oedd o'n ddyn ifanc ac
yn fwy na 'tebol yn y gegin, er na fyddai Mam yn gadael
iddo fo wneud bwyd yn amal gan ei fod o'n baeddu
gormod o lestri!

Fe wyddwn ei fod o'n hoff o gaws, felly
penderfynais y byddwn i'n mentro trio gwneud
caws ar dost. Ro'n i'n gwybod nad oedd wiw i mi
fynd ar gyfyl y stof am fod honno'n beryg. Felly,
dyma fi'n rhoi sleisen o fara o'r Sunblest *sliced loaf*
ar flaen fforc a'i dal o flaen bariau'r tân trydan yn yr
ystafell fyw. Peth anodd oedd tostio'r bara gan fod
fy mysedd bach yn poethi hefyd ond mi lwyddais,
rywsut, i wneud tost. Rhoi sleisen o gaws plastig, fel y byddai Mam yn galw'r sleisys
o gaws fyddai'n dod mewn pecyn, ar ben y tost a'i gyflwyno fel syrpréis i Nhad gyda balchder.
Chwara teg iddo fo, mi dderbyniodd o'n ddiolchgar a'i fwyta bob tamaid, gan gymryd arno
mai dyna'r caws ar dost gora roedd o wedi'i gael, a minnau'n gwenu fel giât wrth ei ochr.

Rysait yn llaw fy nain

Mae'r teimlad pleserus yna sydd i'w gael wrth weld rhywun yn mwynhau'r bwyd rydach chi wedi'i baratoi iddyn nhw wedi aros efo fi ar hyd fy oes. Erbyn hyn, mi faswn i'n mynd mor bell â dweud mai dyma sut rydw i'n dangos fy nghariad tuag at fy nheulu a'm ffrindia.

Mae rhoi bwyd da ar y bwrdd yn rhywbeth dwi'n teimlo'n angerddol amdano a does dim yn well gen i na gweld platiau glân ar ddiwedd pryd a phawb wedi bwyta pob tamaid. Does dim rhaid i'r prydau fod yn gymhleth; yn amal mae bywyd wedi bod yn rhy brysur i fynd i drafferth fawr, ond mae'n rhaid iddyn nhw fod yn flasus.

Yn y gyfrol hon dwi wedi dod â fy hoff ryseitiau at ei gilydd – y rhai dwi wedi bod yn eu coginio ers fy ieuenctid a rhai dwi newydd eu creu, gan rannu ambell gyfrinach deuluol.

Dwi wedi bod yn casglu ryseitiau ers pan o'n i'n ddeuddeg oed 'nôl yn saithdegau'r ganrif ddwytha. Mae gen i lyfr lloffion llawn ryseitiau o'r cyfnod yna o hyd – rhai yn llawysgrifen fy nain – a difyr ydi edrych yn ôl a gweld be oeddan ni'n ei fwyta bryd hynny. Mae'r ffasiwn ym myd bwyd wedi newid dros y blynyddoedd, wrth gwrs, ynghyd â'r cynnyrch sydd ar gael. Dwi'n ddigon hen i gofio'r byd cyn afocado! Ond mi rydw i'n dal i wneud rhai ryseitiau roedd fy mam yn eu gwneud i ni yn blant, a'i mam hithau'n eu gwneud iddi hi – a mwy na thebyg eu bod nhw'n mynd yn ôl ymhellach na hynny.

Mi ddechreuais arbrofi efo bwyd cyn gynted ag y ces i fy nghegin fy hun ar ôl gadael cartre. Dros y blynyddoedd, dwi wedi gwneud rhai pethau sydd ddim wedi gweithio ac wedi mynd ar eu pen i'r bin. Ond dwi wedi creu ambell rysáit sy'n werth ei chadw. Dwi hefyd wedi gwneud llawer o bethau na wnes i eu cofnodi a byth wedi llwyddo i gael yr union flas wedyn!

Mae meddwl am y bwyd dwi wedi'i baratoi a'i fwyta dros y blynyddoedd wedi dod â llawer o atgofion yn ôl i mi: bwyta brechdanau siwgr yn nhŷ Nain a chael llyfu'r whisg ar ôl iddi wneud cacen. Dwi'n cofio mynd i'r siop tsips i nôl tsips ar ddydd Sadwrn efo powlen a chadach llestri, a dyn y siop yn rhoi pys slwj yng ngwaelod y bowlen a'r tsips ar eu pen a'r cadach llestri yn orchudd drostyn nhw. Finna'n llosgi ngheg wrth ddwyn tsipsan slei, yn dripian o halen a finag, ar y ffordd yn ôl i'r tŷ.

Roedd Mam yn cadw caffi yn ystafell ffrynt tŷ ni ac mi rydw i'n rhannu atgofion am y cyfnod yna ynghyd ag atgofion eraill efo chi yn y gyfrol hon.

Mae yma ryseitiau syml a sydyn ar gyfer yr adegau pan nad oes gennych chi'r amser na'r amynedd i dreulio oriau yn y gegin, a hefyd ryseitiau ar gyfer y dyddiau pan mae ganddoch chi fwy o amser i fwynhau yn y gegin – i arbrofi a bod yn greadigol.

Cofiwch mai dim ond casgliad o eiriau ydi rysáit ac mae chwaeth pawb yn wahanol, felly ewch ati i addasu yn ôl eich chwaeth chi. Dyna be dwi wedi bod yn ei wneud! Yr unig beth faswn i'n ei ofyn ydi eich bod chi'n cadw at ryseitiau'r cacennau – mae'r rheiny'n dibynnu ar hud a lledrith cemeg!

Mi sylwch fod rhai ryseitiau mewn pwysau imperial a rhai mewn metrig. Dwi heb addasu'r rhai imperial achos dwi'n gwybod fod rhai'n dal i ddefnyddio ownsys a phwysi, ac eraill, fel fi, yn defnyddio'r ddau. Ddylai hyn ddim bod yn broblem achos mae'r rhan fwya o gloriannau'n dangos y ddwy ffordd o fesur. Ond dwi'n cynnwys siart gyfnewid rhag ofn.

Gobeithio y byddwch chi'n mwynhau coginio a bwyta rhai o'r ryseitiau yma, a gobeithio hefyd, os nad ydych chi eisoes wedi cofnodi eich hoff ryseitiau teuluol chi, y byddwch chi'n manteisio ar y tudalennau yn y cefn i wneud hynny. Fel mae nifer y rhai rydw i wedi coginio iddyn nhw wedi amrywio dros y blynyddoedd, mae'r nifer y mae'r ryseitiau ar eu cyfer yn amrywio, ond mae'n ddigon hawdd eu haddasu i siwtio mwy neu lai o bobol.

Mi ddarllenais rywdro am ddynes a gafodd y beddargraff a ganlyn ar ei charreg fedd: 'She laid a good table'. Mi faswn i'n ddigon hapus o gael cyfieithiad o'r frawddeg hon ar fy ngharreg fedd i!

Rhian Cadwaladr

Siart Gyfnewid

Imperial	Metrig	Imperial	Metrig
1/2 owns	15g	8 owns	225g
1 owns	30g	9 owns	255g
2 owns	60g	10 owns	280g
3 owns	90g	11 owns	310g
4 owns	110g	12 owns	340g
5 owns	140g	13 owns	370g
6 owns	170g	14 owns	400g
7 owns	200g	15 owns	425g
		1 pwys	450g

CYRSIAU CYNTAF/ BYRBRYDAU

CAWL PWMPEN A TSILI

Dwi'n hoff o'r hydref, pan fydd y dyddiau'n byrhau a natur yn rhoi sbloets o liwiau i ni. Does dim byd gwell na mynd am dro yn y wlad â brath yn yr awyr a'r dail yn crensian dan eich traed, ac ar ôl dod adra, mwynhau powlan gynhesol o gawl cartra. Yr amser gora i brynu pwmpen ydi dechra mis Tachwedd pan fydd y rhai sydd dros ben ers Calan Gaeaf yn cael eu gwerthu'n rhatach.

Doedd dim sôn am bwmpen pan oeddwn i'n tyfu i fyny yn y chwedegau a'r saithdegau. Rwdins (maip) yr oeddan ni'n eu cerfio ar noson Calan Gaeaf – a hynny efo cryn dratterth! Gwthio cannwyll iddyn nhw wedyn a'u gadael ar stepan drysau cyn cnocio a rhedeg i guddio i wylio'r ymateb. Doeddan ni ddim yn disgwyl cael dim – doedd dim ffasiwn beth â 'trick or treat'. Mi fedra i glywed ogla'r rwdan yn coginio dan wres y gannwyll rŵan. Mae 'na ogla tra gwahanol ar y cawl yma – a thipyn o gic!

Digon i 4

Cynhwysion

1kg pwmpen (neu unrhyw sgwash) wedi'i dorri'n ddarnau tua 5cm o faint

1 nionyn wedi'i dorri'n fân

1 clof garlleg wedi'i falu'n fân

1 darn, tua 5cm o faint, o sinsir wedi'i gratio

1 tsili (neu fwy, yn dibynnu ar eich dant) wedi'i falu'n fân

1 tun 400ml llaeth coconyt

300ml stoc llysiau

3 llond llwy fwrdd o olew olewydd

halen a phupur du

hadau cymysg / coriander / *crème fraîche* / hufen i addurno

Dull

- Rhowch y darnau pwmpen mewn tun rhostio a thywallt 2 lond llwy fwrdd o olew olewydd drostynt a'u cymysgu'n dda (does dim yn well na dwylo i wneud hyn!).

- Rhowch y tun yn y popty ar dymheredd o 200°C / ffan 180°C / nwy 6 a rhostio'r darnau pwmpen am tua 35 munud nes eu bod wedi coginio, gan wneud yn siŵr nad ydynt yn cochi, neu mi gollwch y lliw oren hyfryd.

- Tra mae'r bwmpen yn rhostio, ffriwch y nionyn a'r garlleg mewn sosban ar wres canolig mewn llwyaid o olew olewydd nes eu bod yn feddal, gan ofalu peidio crasu'r garlleg neu mi fydd blas chwerw ar y cawl.

- Ychwanegwch y tsili a'r sinsir a'u ffrio am gwpwl o funudau ychwanegol.

- Pan fydd y bwmpen wedi coginio, rhowch y darnau yn y sosban gyda'r llaeth coconyt a'r stoc.

- Cyfunwch y cyfan mewn blendiwr neu â blendiwr llaw. Os ydi'r cawl ychydig yn rhy drwchus, ychwanegwch fwy o stoc.

- Blaswch ac ychwanegu halen a phupur at eich dant.

- Cynheswch y cawl drwyddo a'i weini gyda hadau cymysg, dail coriander neu/a *crème fraîche* neu hufen.

CAWL TOMATO A CHIG MOCH

Pan oeddwn i'n sâl yn blentyn, boed yn boen bol neu annwyd trwm neu ddolur gwddw, tun o gawl tomato fyddai'r unig beth y byddwn i'n fodlon ei fwyta. Swatio ar y soffa yn yr ystafell fyw a Mam yn tendiad arna i ac yn dod â phowlennaid o'r cawl lliwgar ar hambwrdd bach efo sleisen o fara menyn. Fedra i ddim meddwl am fwyta cawl tomato o dun erbyn hyn achos mae mor hawdd gwneud un cartra. I wneud hwn yn gawl llysieuol, jest peidiwch â defnyddio'r cig moch.

Digon i 4

Cynhwysion

Tua 450g o domatos ffres wedi'u torri'n fân (neu 1 tun 400g o domatos)

1 nionyn bach wedi'i falu'n fân

2 dafell o gig moch wedi'u malu'n fân

1 neu 2 ewin garlleg mawr wedi'i falu'n fân

750ml stoc cyw iâr (500ml os ydach chi'n defnyddio tun tomatos)

1 llond llwy bwdin o *purée* tomato

llond llaw o ddail basil ffres (neu bersli / teim)

1 llond llwy de o baprica

halen a phupur

olew olewydd i ffrio

Dull

- Mewn sosban fawr, ffriwch y nionyn a'r cig moch mewn llwyaid o olew nes bod y cig moch bron wedi coginio a'r nionyn wedi dechrau meddalu.

- Ychwanegwch y garlleg a'r tomatos, a'u coginio nes bod y tomatos wedi dechrau meddalu.

- Gorchuddiwch y cyfan â stoc. Rhowch gaead ar y sosban a throi'r gwres i lawr, a choginio'r cyfan nes bod y tomatos wedi meddalu'n llwyr.

- Ychwanegwch y dail basil (neu bersli / teim) ac ysgeintiad o baprica, pupur a halen, a chyfuno'r cyfan gan ddefnyddio blendiwr llaw, neu rhowch y cyfan mewn blendiwr.

- I'w weini, rhowch gylch ysgafn o hufen ffres ac ychydig mwy o'r perlysiau ar wyneb y cawl.

CAWL BROCOLI A CHAWS

Mae'r cawl yma'n bryd ynddo'i hun o'i weini efo cwlffyn o fara crystiog.

Digon i 4

Cynhwysion

1 pen o frocoli maint canolig wedi'i falu'n fân (gan gynnwys y goes a'r dail)

1 nionyn bach wedi'i falu'n fân

hanner cenhinen wedi'i malu'n fân

1 coesyn o seleri wedi'i falu'n fân (neu hanner seleriac)

1 litr o stoc

100g caws Cheddar wedi'i gratio neu gaws glas wedi'i falu'n fân

halen a phupur

hadau cymysg (mae rhai blas tsili yn mynd yn dda efo caws Cheddar)

olew neu fenyn i ffrio

Dull

- Mewn sosban, meddalwch y nionyn, y cennin a'r seleri mewn olew olewydd neu fenyn.

- Ychwanegwch y brocoli a'r stoc a choginio'r cwbwl am ryw 10–15 munud nes bod y brocoli'n barod.

- Ychwanegwch halen a phupur at eich dant a chyfuno'r cwbwl gan ddefnyddio blendiwr llaw, neu rhowch y cwbwl mewn blendiwr.

- Cynheswch y cawl a'i dywallt i fowlenni cyn ychwanegu eich dewis chi o gaws. Dwi'n hoff o gaws glas ond tydi gweddill y teulu ddim, felly caws Cheddar gân' nhw.

- Addurnwch y cawl â hadau cymysg a'i weini'n syth.

OMLED PITSA

Fel amryw un arall, dwi'n mynd ar ddeiet i golli pwysau bob hyn a hyn – rhywbeth anodd iawn i rywun fel fi sydd mor hoff o'i bwyd! Gan fod pitsa yn llawn caloriau, mi wnes i feddwl am y rysáit yma sy'n defnyddio wyau yn lle toes. Dydi o ddim 'run fath â pitsa ond mae'n flasus ac yn sydyn! Fel gyda pitsa, mi fedrwch amrywio'r cynnwys yn ôl eich dant.

Digon i 1

Cynhwysion

3 wy wedi'u curo

darn o fenyn tua maint cneuen Ffrengig (*walnut*)

Saws tomato

1/2 nionyn wedi'i falu'n fân

1 ewin garlleg wedi'i falu'n fân

llwyaid o olew

tun bach o domatos

1 llwy bwdin o *purée* tomato

hanner llond llwy de o oregano sych

halen a phupur

llond dwrn o gaws Cheddar wedi'i gratio

2 dafell o ham wedi'u torri'n ddarnau

basil ffres

Dull

- Ffriwch y nionyn yn yr olew mewn sosban neu badell nes ei fod yn feddal.
- Ychwanegwch y garlleg a'i goginio am ryw funud arall, gan ofalu peidio llosgi'r garlleg.
- Draeniwch y sudd o'r tun tomatos a rhoi'r tomatos a'r *purée* i mewn efo'r nionyn, yr oregano, a'r halen a phupur.
- Gadewch i'r cyfan ffrwtian ar wres isel tra ydach chi'n gwneud yr omled.
- Rhowch y menyn mewn padell omled a'i doddi dros wres cymedrol.
- Pan mae'n dechrau gwneud sŵn ffrio, ychwanegwch yr wyau wedi'u curo gan eu troelli o amgylch y badell i orchuddio'r gwaelod i gyd.
- Gadewch iddyn nhw goginio am ychydig eiliadau cyn tynnu llwy bren i greu pant, neu ffos fach, drwy eu canol. Troellwch y badell eto i lenwi'r pant.
- Gwnewch yr un peth eto nes bydd yr wy wedi setio.
- Rhowch y saws tomato dros yr omled.
- Gorchuddiwch efo caws a thaenu'r ham drosto.
- Rhowch y badell dan y gril i doddi'r caws.
- Taenwch ddail basil dros y cwbwl cyn ei osod yn ofalus ar blât. Gallech ei weini gyda salad, neu – os ydach chi'n ddigon lwcus i beidio gorfod poeni am eich pwysau – efo sglodion!

QUESADILLA EFO SBARION

Mae'n gas gin i wastraffu bwyd. Dwi'n perthyn i'r genhedlaeth a gafodd ei magu i glirio'u platiau. Mi fydda Mam yn fy siarsio i gofio am blant bach yn Affrica yn llwgu, a feiddiwn i wastraffu dim. Yr un fath yn yr ysgol: mi fyddai'r 'antis' oedd yn edrych ar ein holau – Anti Mary, Anti Rita ac Anti Enid – yn ein siarsio i fwyta pob tamaid, a doedd neb yn cael codi oddi wrth y bwrdd i fynd allan i chwarae nes bod pob plât yn lân.

Mi fyddwn i'n bwyta'r rhan fwya o brydau'n ddigon di-lol, ond dwi'n cofio un peth oedd yn gas gen i – Spam. Roedd ei liw pinc gola artiffisial yn ddigon i wneud i mi feddwl nad oedd o'n twytadwy, a doedd dewis ei weini'n oer efo tatws stwnsh cynnes a bitrwt oer ddim yn helpu i'w wneud o'n fwy apelgar. Roedd yn well gen i'r pwdinau na'r prif bryd: semolina efo lwmp o jam yn ei ganol, pwdin jeli llyffant (tapioca); cacen jam a cornfflêcs, a'r ffefryn – sgwaryn o sbwnj siocled efo cwstard siocled. Ond mi roedd yna un pwdin yr oeddwn i wir yn cael trafferth i'w fwyta, a dwi'n cofio crio hyd yn oed i drio osgoi ei lyncu – prŵns a chwstard! Doedd dim problem efo'r cwstard ond am y prŵns ... hen betha bach crebachlyd a'u blas chwerw felys a'r perygl o ffeindio carreg yn eu canol – a'r ofn o lyncu honno mewn camgymeriad. Mi fyddai hi wedyn yn tyfu'n goeden yn eich bol, yn ôl un o'r antis! Mae'n gas gen i brŵns o hyd.

Oherwydd y fagwraeth yma, mi fydda i'n trio gwneud rhywbeth efo sbarion yn hytrach na'u lluchio. Dyma rysáit bach hynod hawdd sy'n gallu cael ei addasu ar gyfer beth bynnag sydd ganddoch chi ar ôl yn yr oergell – delfrydol ar gyfer cinio sydyn.

Digon i 2 neu 1 llwglyd!

Cynhwysion

2 dortila (*wrap*)

beth bynnag sydd ar ôl yn yr oergell, e.e. darnau o gyw iâr efo corn melys a sialóts (shibwns neu sloj, fel bydda i'n eu galw nhw) neu ddarnau o ham (neu gig moch wedi'i goginio), tomato a madarch wedi'u sleisio'n denau

llond dwrn o gaws wedi'i gratio

Dull

- Rhowch un tortila mewn padell ar wres cymedrol.
- Rhowch weddill y cynhwysion ar ei ben gan orffen efo haenen o gaws.
- Rhowch y tortila arall ar ben y cyfan a choginio am tua 3 munud.
- Codwch y cwbwl o'r badell yn ofalus a'i roi ar blât, ac yna ei roi ben i waered yn ôl yn y badell.
- Coginiwch am ddau funud arall nes bod y caws wedi toddi a'r tortila wedi cochi ac unrhyw gig wedi poethi drwyddo.
- Os nad ydach chi ffansïo troi'r *quesadilla* drosodd, mi fedrwch ei orffen o dan y gril.
- Torrwch yn bedwar darn a'u gweini â salad.

MADARCH GARLLEG MEWN ROSTI TATWS

Dydd Sadwrn ydi'r unig ddiwrnod y bydda i'n bwyta brecwast wedi'i goginio (dwi ddim yn cyfri uwd fel rhywbeth wedi'i goginio). Ond mi fydda i'n ei wneud o ganol bora fel bod dim angen gwneud cinio hefyd: cig moch, wy, sosej, tomato, madarch a rosti tatws – digon i gadw rhywun i fynd tan amser te. Mae meddwl am frecwast 'full English' wedi fy atgoffa am y tro cynta yr es i allan am bryd o fwyd gyda'r nos efo Mam a'i ffrind Avril – i fwyty yn Sir Fôn. Roeddwn i tua deuddeg, mae'n siŵr, ac yn meddwl mod i'n hynod soffistigedig yn cael mynd i restaurant. Dwi'n cofio astudio'r menu yn ofalus a phenderfynu y baswn i'n mentro trio rhywbeth gwahanol a setlo ar rywbeth o'r enw 'egg and bacon platter', a'r siom o gael platiad o frecwast yn cael ei osod o mlaen. Lle roedd y 'platter'? Cywilydd mawr wedyn o ddeall mai'r plât oedd hwnnw – er mawr ddifyrrwch i Mam ac Avril!

Does dim rhaid cadw rostis at frecwast yn unig; dyma i chi rysáit sy'n gwneud cacennau bach ohonyn nhw – rhywbeth i'w wneud pan fydd ganddoch ychydig o amser ar eich dwylo i fedru arbrofi yn y gegin. Os ydi'ch amser yn brin, yna mae'r madarch garlleg yn neis iawn ar dost hefyd!

I wneud 12

Cynhwysion

Rosti

2 daten fawr

1 wy bach wedi'i guro

olew olewydd

Madarch mewn garlleg

150g madarch wedi'u sleisio

1 ewin garlleg mawr wedi'i falu'n fân

llond llwy fwrdd o *crème fraîche*

paprica

persli

Dull

- Cynheswch y popty i 190°C / ffan 170°C / nwy 5.
- Gratiwch y tatws a'u rhoi yng nghanol lliain glân. Codwch ochrau'r lliain a gwasgu'r dŵr allan o'r tatws.
- Rhowch y tatws mewn powlen efo digon o halen a phupur, ysgeintiad o olew olewydd a'r wy, a'u cymysgu'n dda.
- Irwch dun pwdinau Efrog (os nad ydi'r tun yn un *non-stick*, rhowch ddisgen fach o bapur pobi yng ngwaelod pob 'twll').
- Gwasgwch y gymysgedd i'r tun i ffurfio basgedi bach a rhowch nhw yn y popty am 25 munud.
- Tynnwch y rostis o'r popty ac allan o'r tun, a'u rhoi ben i waered ar dun pobi.
- Rhowch y rostis yn ôl yn y popty am ryw 5 munud arall nes y byddant wedi crasu.
- I wneud y llenwad: ffriwch y garlleg a'r madarch mewn olew. Pan fydd y madarch yn barod, ychwanegwch y *crème fraîche*, halen a phupur ac ysgeintiad o baprica (dwi'n hoff o baprica wedi'i gochi).
- Tynnwch y rostis o'r popty a llenwi'r basgedi efo'r madarch.
- Gwasgarwch bersli wedi'i falu'n fân dros y cyfan.

TARTENNI PATE CYW IÂR

Rhaid cyfadda nad pate cyw iâr ydi'r peth neisia i edrych arno, felly dyma ymgais i wneud iddo edrych ychydig yn fwy deniadol. Gallwch weini'r tartenni bach yma fel canapés neu ar ddechrau pryd. Gellir gweini'r pate yn y ffordd arferol hefyd, wrth gwrs – efo tost. Mae'n mynd yn dda efo tsytni nionod coch (gweler tudalen 162) Os ydach chi'n brin o amser, gallwch brynu toes crwst brau (shortcrust) wedi'i wneud yn barod.

Dwi'n cofio gweini'r rhain i ffrindia flynyddoedd yn ôl ac un ohonyn nhw (wna i ddim mo'i henwi!) yn tynnu'r perlysiau a'r cyrens coch cyn eu bwyta gan ddweud, 'Mae Mum 'di deud wrtha i am beidio bwyta dail a berries!'

I wneud 12 tarten

Cynnwys

Toes

100g blawd plaen

50g menyn (neu 25g menyn a 25g lard, am does efo mwy o grensh)

pinsiad o halen

dŵr

Pate

50g menyn

400g iau cyw iâr wedi'i drimio

hanner nionyn bach wedi'i falu'n fân

1 ewin garlleg mawr wedi'i falu'n fân

dail o ddau sbrigyn o deim

llond llwy fwrdd o frandi

halen a phupur

teim neu bersli i addurno

Dull

- I wneud y toes, rhwbiwch y braster i'r blawd nes ei fod yn edrych fel briwsion bara.

- Ychwanegwch binsiad go dda o halen a digon o ddŵr i ddod â'r cwbwl at ei gilydd i wneud toes, gan ofalu peidio â defnyddio gormod o ddŵr neu dylino'n ormodol, neu mi fydd eich crwst yn galed. Gallwch wneud y cwbwl mewn prosesydd wrth gwrs, neu brynu toes wedi'i wneud yn barod.

- Lapiwch y toes mewn papur pobi a'i roi i orffwys yn yr oergell am tua 20 munud.

- Wedi iddo orffwys, cynheswch y popty i 200˚C / ffan 180˚C / nwy 6. Rholiwch y toes allan ar fwrdd efo ychydig o flawd wedi'i daenu drosto, a'i dorri'n gylchoedd o'r maint cywir i ffitio eich tun tartenni.

- Rhowch y cylchoedd yn y tun tartenni a phricio tyllau ynddyn nhw efo fforc. Rhowch ddarn o bapur pobi neu ffoil ym mhob tarten a rhoi ychydig o ffa pobi (un ai rhai seramig neu ffa neu bys wedi'u sychu) ar ben y papur, gan ofalu nad ydynt yn cyffwrdd yn y toes neu byddant yn coginio ynddo!

- Pobwch ar 200˚C / ffan 180˚C / nwy 6 am 10 munud. Tynnwch y darnau papur a'r ffa a rhoi'r tartenni 'nôl yn y popty am ryw bum munud arall nes eu bod wedi coginio drwyddynt. Gadewch iddynt oeri.

- Toddwch y menyn mewn padell ffrio a choginio'r nionyn a'r garlleg ar wres cymedrol (gan ofalu peidio â gor-grasu'r

garlleg) nes bod y nionyn yn feddal. Ychwanegwch yr iau a'i goginio am 6–8 munud nes ei fod wedi brownio ond yn dal â rhywfaint o binc yn ei ganol.

- Ychwanegwch y llwyaid o frandi, yr halen a'r pupur, a'r teim.

- Tywalltwch y cwbwl i brosesydd a'i falu'n fân.

- Gwasgwch y pate drwy hidlydd er mwyn cael pate llyfn.

- Llenwch y tartenni efo'r pate.

- Toddwch fenyn a thywallt y menyn clir ar ben pob tarten rhag i'r cynnwys frownio a chaledu.

- Addurnwch â sbrigyn o deim neu bersli, a chyrens coch, os oes gennych chi rai.

PATE MACRELL

Pate hawdd a sydyn i'w weini ar ddechrau pryd neu gyda bara crystiog a salad i ginio.

Cynnwys

pecyn o fecryll wedi'u cochi (*smoked*). Gallwch gael rhai efo lemwn a phupur neu efo sbeisys poeth, ac mae'r ddau fath yn gweithio'n dda – yn dibynnu ar eich dant.

200g o gaws meddal neu gymysgedd o gaws meddal a *crème fraîche*

gwasgiad da o lemwn neu leim

persli ffres (neu goriander, os ydach chi'n defnyddio'r mecryll sbeislyd)

Dull

- Rhowch y cwbwl mewn prosesydd a dyna ni – mae'n barod! Mwynhewch gyda bara pita neu dost.

CACENNAU CAWS EOG

Rydan ni'n hoff iawn o gacennau caws yn ein teulu ni, yn gymaint felly fel i fy mab Peris sefydlu busnes yn eu gwerthu nhw: Melys Cheesecakes. Ond does dim rhaid i gacennau caws fod yn felys; mae rhai sawrus yr un mor flasus. Mae'r rysáit yma'n gwneud 4 cacen fach i ddechrau pryd neu 1 gacen o faint canolig i'w gweini efo salad i ginio.

Cynnwys

10 bisgeden geirch (*oatcake*)

50g menyn

llond llwy de o baprica

2 ffiled o eog *hot smoked* (os na fedrwch gael eog *hot smoked*, gallwch ddefnyddio dwy ffiled o eog ffres wedi'u coginio neu gymysgedd o eog ffres ac eog wedi'i gochi. Dwi'n hoffi hwn wedi'i wneud efo eog *hot smoked* â tsili.)

carton 125g o gaws meddal

sudd 1 lemwn

pupur

2 goesyn o sialóts (shibwns/*spring onions*)

2 dafell o jelatîn

2 lond llwy fwrdd o hufen neu *crème fraîche*

ciwcymbr i addurno

Dull

- Malwch y bisgedi'n fân drwy eu rhoi mewn prosesydd neu mewn bag plastig a'u curo efo rholbren.
- Toddwch y menyn mewn sosban ac ychwanegu'r bisgedi a llond llwy de o baprica.
- Rhannwch y gymysgedd i 4 cylch pobi (neu dorwyr bisgedi, neu dun cacen os ydach chi'n gwneud un fawr) a gwasgu'r cyfan yn dda.
- Rhowch nhw yn yr oergell i galedu.
- Rhowch yr eog, y caws meddal, gwasgiad o lemwn, pupur du, llond llwy de o baprica a'r sialóts mewn prosesydd a'u cymysgu'n dda.
- Rhowch y jelatîn i fwydo mewn dŵr oer nes ei fod wedi meddalu, gwasgwch y dŵr ohono a'i roi mewn sosban fach gyda llwyaid o hufen neu *crème fraîche* a'i gynhesu nes bod y jelatîn wedi toddi.
- Ychwanegwch y gymysgedd at y caws a'r eog.
- Rhowch y cyfan ar ben y sylfaen fisged a'u rhoi yn yr oergell i setio am o leiaf ddwy awr.
- Tynnwch y cacennau allan o'r cylchoedd yn ofalus a'u haddurno efo ciwcymbr.

TERÎN PORC A CHYW IÂR

Os nad ydw i'n gweithio ar ddydd Gwener, dyna fy niwrnod i wneud y siopa mawr am yr wythnos, a dyna hefyd y diwrnod y bydda i'n arbrofi fwya yn y gegin. Dros gyfnod clo Covid-19 yn 2020, a finna efo mwy o amser ar fy nwylo a'r tai bwyta i gyd wedi cau, mi fues i'n cymryd arna mod i mewn restaurant – Casa Cadwaladr – a gwneud prydau tri neu bedwar cwrs ar nosweithiau Gwener. Mi fyddwn yn aml yn treulio prynhawn cyfan yn y gegin – wrth fy modd yn arbrofi efo blasau a ryseitiau gwahanol. Wrth i amser gweini'r pryd agosáu, mi fyddai'r awyrgylch yn y gegin yn newid wrth i mi ruthro o gwmpas i drio cael popeth yn barod ac mor berffaith ag y medrwn i eu cael. Does wiw i neb ddod ar fy nhraws ar adeg fel yna, yn ôl y teulu: mi ryd̄w i'n gallu troi'n ychydig o Gordon Ramsay, mae'n debyg! Mae wedi dod yn dipyn o jôc acw erbyn hyn, ac os ydw i'n gofyn i rywun neud rhywbeth yn y gegin, dwi'n cael yr ateb, 'Yes, chef!'

Mi fyddwn i wedyn yn rhoi lluniau o'r prydau ar y dudalen Facebook boblogaidd Curo Corona'n Coginio, ac mi fyddai Andrew, fy mhartner, yn cael ei bryfocio yn ei waith, a'i gyd-weithwyr yn dweud ei fod yn cael ei sbwylio! Ond mi fyddai'r creadur wedi gorfod disgwyl am bob cwrs tra oeddwn i'n tynnu lluniau o bob ongl!

Dyma un rysáit o'r cyfnod yna. Gallwch ei weini ar ddechrau pryd neu gyda salad a bara i ginio.

Cynnwys

1 pecyn cig moch brith (*streaky bacon*)

500g mins porc (neu defnyddiwch 500g o gig selsig)

1 brest cyw iâr wedi'i dorri'n stribedi hir

llond llaw o gnau pistasio wedi'u tynnu o'u plisgyn

llond llaw o fricyll (*apricots*) wedi'u sychu a'u torri'n fân

dail pedwar neu bum sbrigyn o deim ffres neu lond llwy de o deim wedi'i sychu

halen a phupur

Dull

- Cynheswch y popty i 190°C / ffan 170°C /nwy 5 ac irwch dun torth fach.

- Rhowch y mins, y teim, a'r halen a'r pupur mewn prosesydd a'u malu'n fân.

- Ychwanegwch y cnau.

- Tynnwch y cig moch o'r paced a rhedeg cefn cyllell dros bob tafell fel eu bod wedi'u hymestyn ryw ychydig.

- Rhowch y tafelli o gig moch ar draws y tun torth i'w leinio – y syniad yw y byddwch yn lapio'r cynnwys i gyd yn y cig moch.

- Gosodwch hanner y gymysgedd cig dros y tafelli o gig moch.

- Rhowch haenen o fricyll dros y cig.

- Gosodwch y stribedi o gyw iâr dros y bricyll.

- Rhowch weddill y cig dros y cyw iâr.

- Dewch â'r tafelli cig moch dros y gymysgedd i orchuddio'r cig yn llwyr, gan roi mwy o dafelli ar draws y top os nad ydi'r tafelli eraill yn cyrraedd ei gilydd.

- Lapiwch y tun mewn dwy haenen o ffoil.

- Gosodwch y tun mewn tun rhostio mawr a'i lenwi â dŵr hyd at ganol y tun torth.

- Rhowch y cyfan yn y popty ar wres 180˚C / ffan 160˚C / nwy 4 a'i goginio am awr, gan gadw llygad ar y dŵr ac ychwanegu mwy os oes angen.

- Gadewch i'r terîn oeri yn y tun torth gan roi tuniau bîns neu rywbeth tebyg ar ei ben i'w bwyso i lawr.

- Wedi iddo oeri, tynnwch y ffoil a defnyddiwch gyllell i lacio'r ochrau os bydd raid. Yna, rhowch blât ar ben y tun a'i droi ben i waered.

- Tynnwch y tun torth i ffwrdd yn ofalus.

- I'w weini, sleisiwch y terîn yn drwchus a'i roi ar blât efo ychydig o ddeiliach.

SGIWERS CORGIMYCHIAID AG AIOLI LEIM

Dwi wrth fy modd yn bwyta yn yr ardd ac er nad ydan ni'n arddwyr (mae fy mhotiau blodau fi'n edrach yn pathetig o'u cymharu â rhai fy ffrindia!), mi rydan ni'n hynod lwcus o gael golygfa braf – yn edrych i lawr dros Gaernarfon ac ar draws Ynys Môn. Weithia rydan ni hyd yn oed yn gweld Mynyddoedd Wicklow yn Iwerddon. Felly, pan mae'r haul yn gwenu, mi rydan ni'n bachu ar y cyfle i fwyta yn yr ardd. Tydan ni ddim yn cael barbeciws yn aml iawn chwaith, achos un pris i'w dalu am yr olygfa ydi'r gwynt, ac unuml y cawn ni ddyddiau llonydd, tawel. Tydi tanio barbeciw mewn gwynt ddim yn hawdd! Ond pan fyddan ni'n mynd amdani, dyma un rysáit hawdd iawn i'w gwneud fel rhan o bryd wedi'i goginio ar y tân.

Dwi'n defnyddio sgiwers metel ers blynyddoedd ar gyfer y rysáit yma. Maen nhw'n llai trafferthus, er eu bod yn cael eu benthyg i wneud rhywbeth arall heblaw cebábs weithia. Mae gen i un sy'n gam ar ôl cael ei ddefnyddio i ddadflocio'r hwfer!

Cynnwys

250g corgimychiaid mawr amrwd (wedi tynnu'r gwythiennau)

1 tsili mawr wedi'i falu'n fân

1 llwy de o baprica wedi'i fygu

2 ewin garlleg wedi'u gwasgu

sudd 1 leim

1 llwyaid o olew olewydd

Dull

- Os ydach chi'n defnyddio sgiwers pren, rhowch nhw i fwydo mewn dŵr am tua 20–30 munud cyn dechrau. Cymysgwch y tsili, y paprica, y garlleg, y leim a'r olew efo'i gilydd mewn powlen i wneud marinâd.
- Rhowch y corgimychiaid mewn powlen a thywallt y marinâd drostynt.
- Gorchuddiwch nhw a'u rhoi yn yr oergell am hanner awr tra byddwch yn tanio'r barbeciw.
- Pan fyddwch chi'n barod i'w coginio, gosodwch nhw ar y sgiwers a'u rhoi ar y tân gan daenu gweddill y marinâd drostynt a'u troi'n rheolaidd nes eu bod wedi newid eu lliw yn binc.
- I'w gweini, paratowch lond powlen fach o'r *mayo* leim neu, os ydach chi am fod yn posh, gallwch dynnu gweddillion y leim o'r croen a rhoi'r *mayo* yn yr haneri leim.

Aioli leim

2 felynwy

hanner llwy de o fwstard Dijon

250ml olew olewydd ysgafn

1 llwy bwdin o sudd leim

1 ewin garlleg wedi'i falu

Dull

- Rhowch y garlleg i fwydo yn y sudd leim am 10 munud.
- Rhowch yr wyau, y mwstard a'r sudd leim (ar ôl tynnu'r garlleg ohono) mewn jwg cul a'u chwisgio'n dda.
- Ychwanegwch yr olew fesul dropyn gan chwisgio'n dda nes bod gennych gymysgedd drwchus, hufennog.
- Os na fyddwch chi wedi bwyta'r aioli yn syth, bydd yn cadw mewn jar â chaead arni yn yr oergell am hyd at wythnos.

Ar gyfer y *mayo*, un ai gwnewch beth eich hun (rysáit gyferbyn) neu rhowch un ewin garlleg i fwydo mewn sudd 1 leim am ddeg munud, cyn tynnu'r garlleg allan a chymysgu dwy lond llwy fwrdd o *mayonnaise* i'r sudd leim.

CORGIMYCHIAID EFO *CHORIZO* A SIERI

Dim ond adeg Dolig y bydda i'n prynu sieri – mae o yn y cwpwrdd am hir iawn wedyn! Os ydach chi'r un fath â fi, dyma rywbeth y medrwch chi ei wneud efo fo. Mae hwn yn hynod hawdd a sydyn i'w wneud, a gallwch ei weini fel rhywbeth i ddechrau pryd neu fel rhan o bryd tapas.

Digon i 4

Cynnwys

400g corgimychiaid

200g *chorizo* (yr un sy'n edrych fel selsig, nid y sleisys tenau)

1 ewin garlleg wedi'i wasgu

2 lond llwy fwrdd o sieri

persli ffres wedi'i falu'n fân

Dull

- Tynnwch y croen oddi ar y *chorizo* a'i dorri'n dafelli tua'r un trwch â darn punt.
- Rhowch y *chorizo* mewn padell sych ar wres cymedrol.
- Coginiwch nes bod yr olew wedi dod ohono a'r cig wedi cochi.
- Ychwanegwch y garlleg a'i goginio am tua munud.
- Ychwanegwch y corgimychiaid a'u coginio drwyddynt. Os ydi'r corgimychiaid yn amrwd, yna mi fydd yn hawdd dweud pryd fyddan nhw'n barod achos mi fyddan nhw'n troi'n binc. Os ydyn nhw wedi'u coginio'n barod, gwnewch yn siŵr eu bod wedi poethi drwyddynt, ond byddwch yn ofalus rhag eu gor-goginio neu mi fyddan nhw fel rwber!
- Ychwanegwch y sieri a chynhesu'r cyfan drwyddo cyn taenu'r persli dros y cwbwl a'i weini'n syth.
- Bwytewch gyda bara crystiog i amsugno'r sudd, fel cwrs cyntaf, fel cinio sydyn neu fel rhan o bryd tapas.

CACENNAU CORGIMYCHIAID EFO SAWS CNAU MWNCI A TSILI

Rydan ni'n arfer meddwl am gacennau pysgod fel pethau llawn tatws wedi'u gorchuddio efo briwsion bara – ychydig bach o bysgod a lot o datws os ydach chi'n eu cael o'r siop sglodion! Mae'r rhain ychydig yn wahanol – tipyn ysgafnach, a dylanwad coginio Asiaidd ar y blas.

Digon i 4 yn gwrs cyntaf, i 2 fel pryd cyflawn

Cynhwysion

300g corgimychiaid

1 tsili mawr

croen a sudd 1 leim

bwnshiad o goriander

2 sialóts (shibwns/*spring onions*)

darn o sinsir maint bawd wedi'i blicio a'i dorri'n fân

halen a phupur

1 wy bach wedi'i guro

llwyaid o olew olewydd i ffrio

Saws

2 lwy fwrdd o fenyn cnau (*peanut butter*)

1 llwy fwrdd o saws soi

1 llwy fwrdd o saws tsili melys

sudd 1 leim

Dull

- Rhowch y sialóts, y tsili, y sinsir, y coriander a sudd a chroen y leim mewn prosesydd bach a'u malu'n fân.

- Ychwanegwch y corgimychiaid, yr wy ac ychydig o halen a phupur a'u cyfuno yn y prosesydd eto. Does dim angen eu malu'n fân, fân.

- Rhowch ychydig o flawd ar y bwrdd a ffurfiwch y gymysgedd yn gacennau â'ch dwylo: 8 o rai bach i'w cael i ddechrau pryd i 4, neu 4 o rai mawr i'w cael yn brif bryd i ddau.

- Cynheswch yr olew mewn padell a ffrio'r cacennau am tua 3–4 munud bob ochr nes eu bod wedi cochi ac wedi coginio drwyddynt.

- I wneud y saws: cymysgwch y cynhwysion i gyd yn drwyadl mewn powlen a'i weini wrth ochr y cacennau.

SALAD FFIGYS
A *PROSCIUTTO*

Dyma blatiad deniadol yr olwg sy'n blasu cystal ag y mae'n edrych. Pryd hyfryd i'w fwyta yn yr ardd efo ffrindia!

**Ar gyfer 2
(digon hawdd
ei addasu at
faint fynnoch)**

Cynhwysion

2 ffigys

100g caws ffeta

6 sleisen o *prosciutto*

pecyn o letys amrywiol
wedi'u golchi

tafell o felon dŵr

3 tafell dew o fara
(surdoes, *ciabbata* neu
fara cyffredin) wedi'i
dorri'n giwbiau bach

olew olewydd

caenen (*glaze*) finegr
balsamig

Dull

- Cynheswch y popty i 200°C / ffan 180°C / nwy 6.
- Rhowch y bara mewn tun pobi a thywallt joch o olew olewydd drosto gan ysgwyd y tun i wneud yn siŵr bod y ciwbiau wedi'u gorchuddio'n llwyr.
- Rhowch nhw yn y popty am tua 10 munud tra ydych chi'n paratoi gweddill y pryd. Ar ôl 10 munud tynnwch y tun allan, troi'r ciwbiau drosodd a'u rhoi'n ôl yn y popty am 5 munud arall.
- Torrwch y ffeta a'r melon dŵr yn giwbiau bach.
- Sleisiwch y ffigys.
- Torrwch y *prosciutto* yn ddarnau llai.
- Gosodwch y letys ar ddau blât a gwasgaru popeth arall drostynt, gan gynnwys y bara.
- Gallwch falu'r ffeta yn ddarnau llai os mynnwch.
- Taenwch y gaenen finegr balsamig yn stribedi dros y cwbwl a'i weini'n syth.

PRIF GYRSIAU

CYW IÂR MEWN SAWS CNAU MWNCI

Dwi wrth fy modd yn byw yn y wlad; dwi'n hoff o'r golygfeydd a'r tawelwch, ond mae'n golygu ychydig o anghyfleustra gan nad oes siop yn y pentref. Felly, mae'n rhaid cynllunio'r siopa'n ofalus rhag gorfod neidio i'r car i nôl rhywbeth o hyd. Pan ddois i i fyw i Rosgadfan gyntaf roedd yma siop, becws, swyddfa bost a siop tsips – ond mae'r rhain i gyd wedi diflannu ers blynyddoedd. Does yna'r un siop têc-awe yn danfon i'r pentref chwaith, felly tydan ni ddim yn cael prydau têc-awe yn amal. Yn hytrach, mi fydda i'n trio gwneud rhywbeth tebyg fy hun.

Dyma fy addasiad i o'r pryd Tsieineaidd chicken in satay sauce. *Mi fedrwch chi ei wneud o yn yr amser y basach chi'n cerdded / dreifio i'r têc-awe i'w nôl o. Mae hi hefyd yn ffordd handi o ddefnyddio cyw iâr (neu dwrci) sy'n sbâr. Jest gwnewch y saws gynta ac ychwanegu'r darnau cyw iâr iddo a'i goginio nes ei fod wedi cynhesu drwyddo.*

Digon i 4

Cynhwysion

4 brest cyw iâr wedi'u torri'n ddarnau

olew sesame i ffrio (neu unrhyw olew arall)

4 coesyn o sialóts (shibwns / *spring onions*) wedi'u torri'n ddarnau

2 lond llwy fawr o fenyn cnau mwnci (*peanut butter*)

sudd 1 leim

ysgytwad o saws soi

1 tun 400ml o laeth coconyt

1 llwy fwrdd o bowdwr cyrri ysgafn (*mild curry powder*)

llond dwrn o gnau cashiw

llond llaw o ddail coriander wedi'u torri'n fân

Dull

- Rhowch ychydig o olew mewn padell fawr a ffrio'r cyw iâr nes ei fod wedi brownio drosto.

- Tynnwch y cyw iâr o'r badell, ei roi ar blât a'i gadw'n gynnes.

- Rhowch ychydig mwy o olew yn y badell ynghyd â llwyaid o bowdwr cyrri a'r sialóts, a'u coginio ar wres cymedrol am tua munud.

- Ychwanegwch y menyn cnau mwnci, sudd y leim, y saws soi a'r llaeth coconyt, a'u cymysgu'n dda.

- Rhowch y cyw iâr yn ôl yn y badell ynghyd â'r cnau cashiw.

- Coginiwch nes bod y cyw iâr wedi cynhesu drwyddo.

- Taenwch y coriander dros y cwbwl a'i weini gyda reis.

CYW IÂR (NEU DWRCI) MEWN SAWS CYRRI OER

Mae'r rysáit yma'n ddelfrydol ar gyfer defnyddio cyw iâr neu dwrci sydd ganddoch chi dros ben – ond mae hefyd yn werth coginio cyw iâr yn arbennig ar ei gyfer. Fy addasiad i o'r enwog coronation chicken *ydi o ac mae'n hyfryd mewn taten bob neu frechdanau neu efo letys a chiwcymbr fel salad. Does dim rhaid i chi lynu'n ddeddfol at y rysáit; cyn belled â bod ganddoch chi'r* mayo / cyw iâr / powdwr cyrri, *mi fedrwch daflu be bynnag arall sydd ganddoch iddo.*

Cynhwysion

tua 300g o gyw iâr wedi'i goginio a'i dorri'n sgwariau bach

1 carton bach o iogwrt Groegaidd

1 llond llwy fawr o *mayonnaise*

1 llond llwy fawr o tsytni mango (neu hanner mango ffres wedi'i dorri'n ddarnau bach)

llond dwrn o swltanas

llond dwrn o gnau almon wedi'u malu'n fân (*flaked almonds*)

1 llond llwy fawr o bowdwr cyrri

sudd hanner leim

llond dwrn o goriander

halen a phupur at eich dant

Dull

- Cymysgwch bopeth heblaw'r cig mewn powlen fawr.
- Ychwanegwch y cig a dyna ni – hawdd!

CYW IÂR MEWN SAWS MADARCH A CHAWS MEDDAL

Dyma i chi bryd bach blasus sy'n hawdd a sydyn i'w wneud. Os ydach chi'n cyfri'r calorïau, gallwch ddefnyddio caws meddal isel ei fraster. Dwi'n licio hwn efo tatws melys wedi'u rhostio a'u stwnshio, a llysiau gwyrdd i roi dipyn o liw i'r plât.

Digon i 4

Cynnwys

4 brest cyw iâr

olew olewydd i ffrio

1 nionyn wedi'i falu'n fân

2 ewin garlleg wedi'u malu'n fân

100g madarch wedi'u sleisio

120ml gwin gwyn

potyn bach 125g o gaws meddal. Gallwch ddefnyddio caws meddal efo garlleg a pherlysiau; os felly, peidiwch â defnyddio garlleg ffres hefyd, os nad ydych yn ffan mawr o arlleg! Mae'n gweithio cystal efo *crème fraîche* hefyd, neu *mascarpone*.

perlysiau ffres, e.e. persli neu gennin syfi (*chives*)

Dull

- Mewn padell fawr, ffriwch y darnau cyw iâr ar y ddwy ochr mewn llwyaid o olew nes eu bod wedi brownio. Yna rhowch nhw ar blât yn y popty i gadw'n gynnes.

- Rhowch lwyaid arall o olew yn y badell a ffrio'r darnau o nionyn am ychydig funudau nes eu bod wedi dechrau meddalu.

- Trowch y gwres i lawr ychydig, ychwanegwch y garlleg a'r madarch a'u coginio am gwpwl o funudau.

- Ychwanegwch y caws meddal a'r gwin a gadael i'r caws doddi'n saws.

- Rhowch y cyw iâr yng nghanol y saws a mudferwi'r cwbwl am tua 20 munud nes bod y cyw iâr wedi coginio drwyddo.

- Gwasgarwch berlysiau drosto.

CRYMBL CYW IÂR

Dwi wedi bod yn prynu cyw iâr cyfan yn hytrach na phecyn o gig brest yn ddiweddar. Mae'n llawer rhatach a tydi hi ddim yn rhy anodd ei dorri'n ddarnau: edrychwch ar YouTube ac mi welwch amryw o fideos yn dangos i chi sut i wneud hyn. Mae'r rysáit yma'n gofyn am gyw iâr wedi'i goginio'n barod, felly'n ddelfrydol ar gyfer cig sydd dros ben ar ôl cinio dydd Sul. Mae'r rysáit yn gwneud digon ar gyfer 4, ond mi fedrwch wneud 4 crymbl unigol os mynnwch.

Cynhwysion

tua 350g o gyw iâr wedi'i goginio

1 genhinen wedi'i sleisio'n gylchoedd tenau

llond cwpan o gorn melys o dun neu wedi'u rhewi (neu unrhyw lysieuyn arall, e.e. madarch / pys / brocoli)

40g menyn

llond llwy fwrdd o flawd plaen

250ml llefrith

250ml stoc cyw iâr

Crymbl

150g blawd plaen

50g menyn

1/2 llwy de o halen

50g ceirch (*rolled oats*)

50g caws Cheddar

Dull

- Cynheswch y popty i 200°C / ffan 180°C / nwy 6.
- Mewn powlen fawr rhwbiwch y 50g o fenyn i'r 150g o flawd nes ei fod yn edrych fel briwsion bara.
- Ychwanegwch yr halen, y ceirch a'r caws.
- Mewn sosban fawr toddwch y 40g o fenyn ac ychwanegu'r cennin.
- Rhowch gaead ar y sosban a'i gadael ar wres isel nes bod y cennin wedi meddalu.
- Ychwanegwch llond llwy fwrdd o flawd a'i gymysgu'n dda.
- Ychwanegwch y llefrith a'r stoc fesul ychydig gan droi'r gymysgedd drwy'r amser.
- Ychwanegwch y cyw iâr, y corn melys (neu/ac unrhyw lysieuyn arall).
- Dylai'r saws fod yn eithaf gwlyb achos mi fydd y crymbl yn amsugno rhywfaint ohono.
- Ychwanegwch ychydig mwy o lefrith os ydi o'n edrych yn rhy drwchus.
- Rhowch y gymysgedd mewn powlen sy'n addas i fynd i'r popty.
- Tywalltwch y crymbl drosto.
- Pobwch am 30 munud nes bod y crymbl yn euraid a'r saws i'w weld yn berwi yn yr ochrau.

CYRRI RHIAN

Mae bwyta cyrri adra wedi dod yn bell iawn ers y dyddia pan fydda Dad yn bwyta Vesta Curry allan o bacad ers talwm. Dwi wedi bod yn gwneud cyrris fy hun ers blynyddoedd. Yn y dechrau doeddwn i ddim yn hoff o gyrris rhy boeth ac roeddwn i'n eu gwneud yn reit felys ac ysgafn efo tsytni mango a swltanas ynddyn nhw. Erbyn hyn dwi'n medru goddef cyrris chydig poethach. Dwn 'im i ba gyrri mae hwn yn debyg: balti, butter, bhuna 'ta be – a dyna pam dwi wedi'i alw'n cyrri Rhian.

Daw'r gair curry *yn Saesneg o'r gair Tamil* kari, *sy'n golygu saws i'w fwyta efo reis, mae'n debyg. Gallwch ddefnyddio'r saws yma gydag unrhyw gig arall neu i wneud cyrri llysieuol – jest ychwanegwch lysiau i'r saws a'u coginio ynddo.*

Digon i 4

Cynhwysion

650g cyw iâr (brest neu gluniau). Mi fydda i'n prynu cyw iâr cyfan ac yn ei dorri'n ddarnau i gael y cig oddi arno – llawer rhatach

Marinâd

1 carton o iogwrt naturiol
2 ewin garlleg wedi'u stwnshio
1 llwy fawr o garam masala
1 llwy de o goriander
1 llwy de o gwmin

Saws

2 nionyn wedi'u sleisio'n denau
2 ewin garlleg wedi'u stwnshio
darn o sinsir tua 6cm wedi'i blicio a'i gratio
2 neu fwy o tsilis (at eich dant), wedi'u torri'n fân
2 lond llwy de o gwmin
2 lond llwy de o goriander
2 lond llwy de o garam masala
1 llwy de o dyrmerig (*turmeric*)
hadau o 3 coden cardamom (*cardamon pod*) wedi'u gwasgu
halen a phupur
500g pasata
olew olewydd
llond dwrn o goriander ffres wedi'i dorri

Dull

- Cymysgwch gynhwysion y marinâd mewn powlen a throchi'r cyw iâr ynddo. Rhowch orchudd dros y bowlen a'i rhoi yn yr oergell am o leiaf awr.
- Rhowch ychydig o olew mewn padell neu sosban fawr a ffrio'r nionyn ar wres isel nes ei fod wedi meddalu'n llwyr.
- Ychwanegwch y garlleg, y tsili a'r sinsir, a'u coginio am ddau i dri munud arall.
- Ychwanegwch y sbeisys i gyd a'u cymysgu'n dda. Coginiwch nhw am tua munud er mwyn i'r sbeisys ryddhau eu blas.
- Ychwanegwch y pasata. (Mae'n well gen i ddefnyddio pasata na thun tomatos gan ei fod yn llawer llai dyfrllyd ond mi fedrwch ddefnyddio tun tomatos yn ddigon hawdd.)
- Codwch y saws i'r berw cyn ei droi i lawr a'i adael i fudferwi.
- Tynnwch y cyw iâr o'r marinâd a'i roi mewn padell gril (*grillpan*) neu dun y gallwch ei roi dan y gril.
- Coginiwch y cyw iâr dan y gril, gan droi'r darnau bob hyn a hyn, nes ei fod yn barod (tua 10–12 munud). Gorau oll os bydd corneli ambell ddarn yn dechrau crasu.
- Rhowch y cyw iâr yn y saws, ychwanegwch y ddwy lwyaid o iogwrt a thasgu'r dail coriander drosto.
- Blaswch ac ychwanegu pupur a halen at eich dant.

Bwytewch gyda reis a bara *naan* cartre (tudalen 158).

CEBÁBS CYW IÂR EFO SALAD CABEJ COCH A BARA FFLAT

Mae dau o 'mhlant i'n byw ym Mryste, ac os oes raid iddyn nhw fyw mewn dinas yn Lloegr dwi'n falch mai hon ydi hi – er ei bod hi'n bell oddi wrthan ni. Mae hi'n dref ddifyr, a phob tro byddwn ni'n mynd i lawr yno mae'n rhaid cael trip i farchnad St Nicholas. Yno mi gewch chi fwydydd stryd o bob math – tacos, tapas, wraps, peis – bwyd o rownd y byd ynghyd â chacennau anferth a sudd ffrwythau ecsotig. Wrth gerdded heibio'r stondinau mae eich

synhwyrau'n cael eu pledu o bob cyfeiriad gan arogleuon o bob math – sbeislyd, melys, sawrus, y pentyrrau o fwydydd lliwgar yn wledd i'r llygad a phopeth yn tynnu dŵr i'r dannedd. I Matinas – stondin bwyd o'r Dwyrain Canol – yr awn ni ar ein pennau, a'n ffefryn i yno ydi'r bara fflat efo cebáb cyw iâr a salad, sy'n gyfuniad o flas sbeislyd a siarp a melys a'r lliwiau'n wledd i'r llygad yn ogystal â'r geg. Dyma fy ymgais i i ail-greu'r pryd. Gorau oll os medrwch chi goginio'r cyw iâr ar y barbeciw i gael blas chargrilled.

Digon i 4

Cynhwysion

bara fflat (gweler tudalen 158)

4 brest cyw iâr

2 bupur melyn wedi'u torri'n ddarnau reit fawr

Marinâd

sudd 1 lemwn

llond llwy fwrdd o sumac (sbeis o'r Dwyrain Canol. Os nad oes gennych chi beth, defnyddiwch groen y lemwn wedi'i gratio.)

2 ewin garlleg mawr wedi'u gwasgu

1 llond llwy fawr o olew olewydd

Salad

chwarter cabejan / bresychen goch wedi'i sleisio mor denau â phosib

1 foronen fawr wedi'i gratio

tua 6 radis wedi'u sleisio'n denau

bagiad o ddail salad

1 nionyn coch wedi'i sleisio'n denau

dyrnaid o hadau pomgranad

hanner ciwcymbr wedi'i sleisio

Dresin

1 carton o iogwrt Groegaidd plaen

1 ewin garlleg wedi'i wasgu

dyrnaid o fintys wedi'i falu'n fân

1 llwy de o sumac (a/neu groen lemwn wedi'i gratio)

Dull

- Torrwch y cyw iâr yn sgwariau a'u rhoi mewn powlen.
- Cymysgwch gynhwysion y marinâd a'i dywallt dros y cig.
- Gorchuddiwch y bowlen a'i rhoi yn yr oergell am o leiaf ddwy awr.
- Os ydych chi'n defnyddio sgiwers pren, rhowch 8 i fwydo mewn dŵr am oddeutu 15–20 munud.
- Gwnewch fara fflat, fel ar dudalen 158. Mae'n wir yn werth ei wneud o eich hun; mae'n gymaint neisiach – a rhatach! Rhowch liain sychu llestri glân dros y bara yn syth ar ôl i chi ei wneud, i'w gadw rhag caledu.
- Cymysgwch gynhwysion y salad i gyd mewn powlen fawr.
- Cymysgwch gynhwysion y dresin mewn jwg neu botel fach.
- Rhannwch y cyw iâr rhwng yr 8 sgiwer gan roi darn o bupur rhwng pob darn o gyw iâr.
- Cynheswch y gril a grilio'r cebábs gan eu troi bob hyn a hyn nes eu bod wedi coginio drwyddynt (neu coginiwch nhw ar y barbeciw).
- Rhowch y cebábs ar blât a'u gosod yng nghanol y bwrdd efo'r bara, y salad a'r dresin iogwrt a gadael i bawb helpu eu hunain.

KOFTAS CIG OEN
EFO HWMWS BITRWT

Os ydi hi'n well ganddoch chi gig coch na chig gwyn, mi fedrwch chi roi'r rhain yn eich bara fflat. Un o brydau arbennig Matinas ym Mryste ydi wrap efo cymysgedd o gyw iâr a chig oen.

Digon i 4

Cynhwysion

Koftas

500g mins cig oen

2 ewin garlleg wedi'u torri'n fân

llond llwy fwrdd o *za'atar* (sbeis o'r Dwyrain Canol). Os nad oes gennych beth o hwn defnyddiwch unrhyw sbeis arall a fynnwch, e.e. *ras el hanout*, cymysgedd o gwmin a choriander neu berlysiau fel oregano, marjoram a mintys

halen a phupur

llond dwrn o fintys ffres

Hwmws bitrwt

250g bitrwt wedi'u coginio (heb finegr)

1 tun ffacbys (*chickpeas*)

1 ewin garlleg

1 llwy fawr o sudd lemwn

1 llwy fawr o olew olewydd

1 llwy de o gwmin

pupur du

halen môr

Dull

- Os ydych chi'n defnyddio sgiwers pren, rhowch 4 i fwydo mewn dŵr am ryw chwarter awr.
- Rhowch gynhwysion y *koftas* i gyd mewn prosesydd bwyd a'u prosesu'n sydyn.
- Rholiwch y gymysgedd yn 8 sosej a rhoi dau ar bob sgiwer.
- Golchwch y prosesydd a rhoi cynhwysion yr hwmws (heblaw'r halen a phupur) ynddo.
- Blaswch ac ychwanegwch yr halen a phupur yn ôl eich dant.
- Rhowch y cebábs dan y gril (neu ar y barbeciw) am oddeutu 7 munud bob ochr nes eu bod wedi coginio drwyddynt.
- Mwynhewch gyda bara fflat (tudalen 158) a salad.

STÊC EFO SAWS
CAWS GLAS

Dwi'n caru caws: caws caled, caws meddal, caws glas – pob math o gaws heblaw caws gafr. Dwi'n clywad ogla gafr ar hwnnw, a fedra i mo'i fwyta. Mi ydw i'n dod yn wreiddiol o Lanberis ac ar y llethrau uwchben y pentref mae geifr gwyllt yn byw – yr enwog Geifr Gwyllt Eryri. Os ydach chi erioed wedi dod ar draws diadell ohonyn nhw, mi wyddoch pa mor ddrewllyd ydyn nhw! Ogla tebyg i hynna dwi'n ei gael ar y caws. Doeddwn i ddim yn arfer hoffi caws glas chwaith. Mi fyddai fy nhad wrth ei fodd efo fo, a phan oeddwn i'n ifanc doeddwn i ddim yn deall pam. Mi ydw i rŵan, felly os ydach chi wedi arfer dweud dim diolch wrth gaws glas, triwch o eto rhag ofn fod eich tafod wedi newid.

Fe fuo Nhad yn yr awyrlu am gyfnod pan oedd o'n ddyn ifanc. Pan oeddwn i'n blentyn, roeddwn i'n credu mai peilot oedd o, tan welis i lun ohono'n gwisgo dillad chef a dod i ddeall mai chef yn yr officers' mess oedd o. Tydw i ddim yn ei gofio fo'n coginio llawer adra. Mam oedd bòs y gegin, ac yn ôl Mam mi fyddai Dad yn maeddu pob teclyn yn y gegin ac yn gadael

gormod o lanast ar ei ôl – wedi arfer cael eraill i olchi'r llestri. Ond pan fyddai o'n coginio, mi fyddai ganddo fo wastad gadach llestri dros ei ysgwydd – arfer yr ydw innau wedi'i etifeddu. Mae fy ysgwydd yn teimlo'n wag os dwi yn y gegin heb gadach drosti. Doeddwn i ddim yn cael helpu Dad yn y gegin chwaith; allan o'r ffordd oedd y lle gora i fod. Dyna i chi rywbeth arall dwi wedi'i etifeddu – wiw i neb ddod ar fy nhraws yn y gegin!

Ond dwi'n cofio un tro pan alwyd am fy help. Gaeaf oedd hi ac mi oedd Dad wedi cytuno i helpu allan mewn gwesty gerllaw tra oedd eu chef nhw i ffwrdd. Tra oedd Dad yn darparu pryd gyda'r nos mi ddechreuodd fwrw eira, ac yn anffodus mi aeth y trydan i ffwrdd yn y pentref. Fe gawson ni alwad ffôn i mi fynd â fflachlamp draw i'r gwesty. Roedd Nhad wrthi'n troi'r grefi mewn sosban anferth pan gyrhaeddes i. Mi gymerodd y fflachlamp o'm llaw yn syth a'i dal uwchben y sosban. Yn anffodus, mi syrthiodd blaen y fflachlamp i'r grefi ac fuo raid iddo fo 'sgota yn y sosban amdano. Cario mlaen i orffen y grefi wnaeth o gan fy siarsio i beidio â dweud wrth neb. A tydw i ddim wedi gwneud hynny – tan rŵan! Ei hoff gig oedd stêc, ac er cof amdano fo dwi'n cynnwys y rysáit hynod hawdd yma.

Digon i 2

Cynhwysion

2 stêc cig eidion o'ch dewis

1 llwy fwrdd o olew blodyn yr haul

lwmpyn o fenyn

pupur a halen

50g Perl Las (neu unrhyw gaws
glas arall)

2 lond llwy fwrdd o *crème fraîche*

1 llwyaid fawr o frandi (dewisol)

Dull

- Rhowch halen a phupur ar eich stêcs.
- Rhowch badell drom ar y stof a gadael iddi gynhesu'n
  dda cyn ychwanegu'r olew.
- Rhowch y stêcs yn y badell a'u troi bob munud er mwyn
  i'r ddwy ochr grasu 'run faint.
- Pan fyddant wedi coginio at eich dant, rhowch nhw ar
  blatiau a'u cadw'n gynnes.
- Rhowch yr hufen a'r brandi yn y badell a thorrwch y caws
  yn ddarnau man ar eu pen.
- Cynheswch y saws am tua munud a'i flasu i weld a oes
  angen halen a phupur, cyn ei dywallt dros y stêc.

PEI MINS

Os ydi'ch teulu'n un mawr, mi rydach chi'n cael eich hun weithiau'n trio gwneud i ychydig fynd yn bell. Mae mins yn rhywbeth y bydda i'n ei ddefnyddio'n aml i wneud hynny. Dyma i chi rysáit pei fyddwn i'n ei neud i ginio ar ddyddiau Sadwrn pan oedd y plant yn fach. Mae gratio'r moron (neu bannas, tatws melys neu rwdan/swejen) yn ffordd dda o guddio llysiau ym mwyd y rhai sy'n gyndyn o'u bwyta! Os nad oes ganddoch chi amynedd gwneud eich toes eich hun, mae'n ddigon hawdd prynu peth.

Cynhwysion

Toes

225g blawd plaen

110g menyn

pinsiad da o halen

dŵr

Llenwad

500g mins

1 foronen fawr
   wedi'i gratio

1 nionyn maint canolig
   wedi'i gratio

240ml stoc

1 llond llwy fwrdd
   o *purée* tomato

1 llond llwy bwdin
   o flawd plaen

ysgytwad o saws
   Caerwrangon
   (Worcester Sauce)

halen a phupur

wy neu lefrith i'w roi
   ar ben y toes

Dull

- Rhwbiwch y menyn i mewn i'r blawd a'r halen nes ei fod yn edrych fel briwsion bara, un ai mewn prosesydd neu â'ch dwylo. Ychwanegwch ddigon o ddŵr i greu toes (defnyddiwch y botwm *pulse* ar y prosesydd rhag gor-gymysgu'r toes).

- Rhowch y toes, wedi'i lapio mewn papur pobi, yn yr oergell i orffwys.

- Rhowch y cig mewn padell fawr a'i goginio ar wres cymedrol nes ei fod wedi brownio.

- Ychwanegwch y moron a'r nionyn wedi'u gratio.

- Coginiwch nes bod y nionyn wedi meddalu.

- Cymysgwch y blawd i mewn i'r cwbwl a'i goginio am tua dau funud.

- Ychwanegwch y stoc, y *purée* tomato, saws Caerwrangon a'r pupur a halen os oes angen.

- Tynnwch y badell oddi ar y gwres a gadael i'r gymysgedd oeri.

- Cynheswch y popty i 200°C / ffan 180°C / nwy 6.

- Rholiwch hanner y toes ar fwrdd wedi'i daenu efo ychydig o flawd nes ei fod yn ddigon mawr i lenwi plât tarten.

- Gwnewch yr un peth efo'r ail hanner.

- Gosodwch un hanner ar y plât a rhoi'r llenwad ar ei ben. Peidiwch â mynd a fo reit at ymyl y plât.

- Gwlychwch rimyn y toes ag ychydig o ddŵr.

- Rhowch ail hanner y toes ar ei ben a'i drimio i ffitio'r plât.

- Gwasgwch yr ochrau i lawr un ai efo'ch bawd neu gefn fforc.

- Torrwch dri hollt bach efo cyllell yng nghanol y pei er mwyn gadael i stêm ddod allan.

- Brwsiwch y pei efo wy wedi'i guro neu ychydig o lefrith.

- Pobwch am 30 munud nes bod y toes wedi brownio a'r cynnwys i'w weld yn berwi drwy'r tyllau.

PELI PORC MEWN SAWS SEIDR

Yr unig fins oedd ar gael yn rheolaidd yn yr archfarchnadoedd tan yn ddiweddar oedd mins cig eidion. Erbyn hyn mae yna wastad fins porc ac, os ydach chi'n lwcus, mins cig oen hefyd. Dyma i chi un ffordd flasus o ddefnyddio mins porc.

Digon i 3

Peli

500g mins porc isel
   ei fraster

1 afal bwyta bach wedi'i
   gratio

1 wy wedi'i guro

halen

pupur

llond llaw o ddail saets
   wedi'u malu'n fân (neu
   lond llwy de a hanner
   o saets wedi'u sychu)

olew i ffrio

Saws

1 nionyn wedi'i falu'n fân

1 llwyaid o olew olewydd

150ml seidr sych

2 lond llwy fwrdd o *crème
   fraîche*

1 llwy de o fwstard Dijon

dyrnaid o ddail saets

halen a phupur

Dull

- Cymysgwch gynhwysion y peli porc efo'r dwylo a siapiwch nhw'n beli ychydig llai o faint na pheli tennis bwrdd – 12 pelen i gyd.

- Cewch ddewis sut i'w coginio: un ai rhowch nhw mewn tun rhostio yn y popty ar wres 200˚C / ffan 180˚C / nwy 6 am oddeutu 30 munud, neu cynheswch lwyaid o olew mewn padell fawr a ffrio'r peli nes eu bod wedi'u brownio drostynt ac wedi coginio drwyddynt (tua 15 munud). Os ydych am eu ffrio, peidiwch â'u troi nes eu bod wedi crasu neu byddant yn chwalu.

- Mewn padell fawr ffriwch y nionyn mewn llwyaid arall o olew nes ei fod yn feddal.

- Ychwanegwch y seidr, y *crème fraîche*, y mwstard a halen a phupur, a'u codi i'r berw.

- Trowch y gwres i lawr ychydig ac ychwanegwch y peli porc.

- Coginiwch am ychydig funudau nes bod y saws wedi tewychu ychydig.

- Tasgwch ddail saets wedi'u malu'n fân dros y peli porc.

- Mwynhewch gyda phasta neu ddigonedd o datws wedi'u stwnshio.

TATWS PUM MUNUD
A CHIG MOCH

Fel plentyn y chwedegau a'r saithdegau, mi gefais fy magu yng nghyfnod twf bwydydd parod. Gyda hysbysebion ar y teledu'n brolio pa mor hwylus a blasus oeddan nhw, roedd cypyrddau bwyd tŷ ni, a rhai llawer o fy ffrindia, yn llawn o duniau lliwgar: spaghetti bolognese, Campbell's Meatballs, Heinz Tomato Soup, Fray Bentos Steak and Kidney Pie a'u bath. Un peth roeddan ni'n ei gael oedd London Grill, sef tun o fîns ac ynddo sosejys bach a darnau o gig moch ac arennau (kidneys, ydi hwn yn dal ar gael, dwch?!). Rhywbeth arall oedd Toast Toppers – tun bach o gymysgedd i'w daenu ar ben tost a'i roi dan y gril; blas caws a ham neu gyw iâr a madarch oeddan ni'n ei gael, os ydw i'n cofio'n iawn. Roedd yn rhaid bod yn ofalus wrth ei fwyta achos mi fyddai'n hawdd llosgi top eich ceg o'i wthio iddi'n rhy sydyn!

Roedd mwy a mwy o deuluoedd yn gwneud deunydd o'r rhewgell hefyd, ac yn ei lenwi efo bwydydd parod: fish fingers, crispy pancakes (pwy sy'n cofio'r rheini?), Birds Eye Chicken Pies neu chicken drumsticks, sef rhyw fath o risol efo reis wedi'i siapio fel drumstick cyw iâr. Ar yr ochr felys, ffefryn yn tŷ ni oedd Artic Roll – hufen iâ mewn rholyn efo cacen sbwnj o'i amgylch; Angel Delight; Birds Eye Trifle; a Dream Topping, sef hufen smâl, artiffisial. Mi fyddwn ni'n cael jeli a thun ffrwythau efo Dream Topping i de ar bnawn dydd Sul, i ddilyn brechdan salmon paste ar ôl bod yn yr ysgol Sul.

Mi fyddai fy nhad, ambell waith, yn cael Vesta Curry neu Vesta Chow Mein efo'i nwdls wedi'u sychu; ond rhywbeth i oedolion oedd y rheini, ddim i ni, blant. Nid bwyd parod yn unig fyddai Mam yn ei wneud wrth gwrs. Roeddan ni hefyd yn cael bwyd traddodiadol: lobsgows, tatws a mins, tatws yn y popty a thatws pum munud. Fedra i byth neud tatws pum munud heb feddwl am Mam. Dwn i ddim pam maen nhw'n eu galw nhw'n datws pum munud chwaith – maen nhw'n cymryd dipyn mwy na phum munud! Dwi wedi'u clywed nhw'n cael eu galw yn tsips dŵr, tsips llongwr neu datws padell hefyd. Mae rhai'n crasu'r cig moch gynta i roi ychydig o liw iddo, ond dyma sut oedd Mam yn eu gneud nhw.

Cynhwysion

tatws wedi'u sleisio'n
   gylchoedd tenau

tafelli o gig moch trwchus

nionyn wedi'i sleisio

pupur a halen

dŵr

Dull

- Rhowch y tatws a'r nionod mewn padell efo digon o bupur ac ychydig o halen.
- Rhowch ddŵr drostynt – digon i'w gorchuddio.
- Rhowch dafelli o gig moch dros y cwbwl.
- Rhowch y badell ar y gwres a chodi'r cynnwys i'r berw.
- Trowch y gwres i lawr a rhoi caead ar y badell.
- Coginiwch nes bod y tatws a'r cig moch yn barod.
- Blaswch i weld a oes angen mwy o halen, a'i weini efo llysiau – ffa (broad beans) fasa fy newis i.

TATWS YN Y POPTY
EFO GOLWYTHON PORC

Un arall o brydau fy mhlentyndod rydw i dal i'w neud ydi tatws yn y popty. Pryd cynhesol ar gyfer yr hydref a'r gaeaf ydi hwn – rhywbeth y medrwch chi ei luchio i'r popty ac anghofio amdano. A gan fod popeth yn cael ei goginio mewn un tun, does 'na ddim lluwer o lestri i'w golchi.

Digon i 4

Cynhwysion

4 golwyth (*chop*) porc

llwyaid o olew

3 taten fawr

1 nionyn

2 foronen

2 banasen (*parsnip*)

hanner rwdan

deilen lawryf (*bay leaf*)

ychydig o ddail saets neu
    deim neu ysgeintiad o
    saets/teim wedi'i sychu

ychydig o flawd plaen

halen a phupur

Dull

- Cynheswch y popty i 160°C / ffan 140°C / nwy 3.

- Pliciwch y foronen, y pannas a'r rwdan (neu pa lysiau bynnag, tebyg, sydd gennych) a'u torri'n ddarnau.

- Sleisiwch y nionyn.

- Pliciwch y tatws a'u torri'n ddarnau reit fawr.

- Gosodwch y golwython porc ar waelod tun rhostio mawr a rhoi ychydig o halen a phupur arnynt.

- Gosodwch weddill y llysiau, y ddeilen lawryf a'r saets dros y cig.

- Tywalltwch ddŵr dros y cig a'r llysiau – dylai pennau'r tatws fod yn sefyll allan o'r dŵr.

- Taenwch ychydig o flawd dros ben pob taten ac ychwanegwch fwy o bupur a halen.

- Gorchuddiwch y tun gyda ffoil a'i roi yn y popty.

- Coginiwch am awr a hanner cyn tynnu'r ffoil a'i goginio am 30–45 munud arall nes bod y llysiau i gyd wedi coginio a phennau'r tatws wedi dechrau cochi. Ychwanegwch fwy o ddŵr yn ystod y cyfnod yma os bydd angen.

LOBSGOWS

Gan mod i'n rhannu prydau dwi'n eu bwyta ers fy mhlentyndod, fedra i ddim peidio â chynnwys lobsgows. Pryd sy'n gyffredin i ogledd Cymru ydi hwn, ac yn ymdebygu i gawl yn y de. Fel bara brith, mae gan bob teulu ei fersiwn ei hunan: bydd rhai'n ei ferwi ar y stof ac eraill yn ei roi yn y popty. Mae'n debyg ei fod yn tarddu o bryd y byddai llongwyr o ogledd Ewrop yn ei fwyta, a docwyr Lerpwl wedi dysgu amdano ganddyn nhw. Mae'n debyg i'r docwyr fwyta cymaint ohono fel eu bod yn cael eu galw'n 'Sgowsars', yr enw a roir ar bobol Lerpwl hyd at heddiw. Gan fod cymaint o bobol o ogledd Cymru wedi symud i Lerpwl i weithio – am byth neu am gyfnod, beth bynnag, buan iawn y daeth y rysáit yn gyfarwydd ar draws yr ardal. Fel Wini Ffini Hadog yn llyfr enwog Kate Roberts, Te yn y Grug, fe aeth fy hen fodryb i – Anti Gwyneth oedd yn byw mewn pentref bach gwledig ar Ynys Môn – i weini i Lerpwl yn ferch ifanc iawn yn nechrau tridegau'r ganrif ddwytha. Adra 'nôl i Fôn y daeth hi, wedi i hiraeth ei threchu.

Mi fydda i'n gneud sosbennaid fawr o lobsgows gyda mwy na digon ar gyfer un pryd – achos mae lobsgows eildwym hyd yn oed yn fwy blasus na'r gwreiddiol! Mi fydda i'n ei weini gyda bara ffres a darn o gaws.

Digon i 6

Cynhwysion

500g cig eidion wedi'i dorri'n giwbiau

3 taten fawr

1 nionyn

1 genhinen

2 foronen

2 banasen (*parsnip*)

1 rwdan fach

deilen lawryf (*bay leaf*)

persli

halen a phupur

Dull

- Rhowch y cig mewn sosban fawr a'i orchuddio â dŵr.
- Codwch i'r berw.
- Tra mae'r cig yn codi i'r berw, paratowch y llysiau; ar ôl eu plicio, torrwch y moron, y pannas a'r rwdan yn ddarnau tua'r un maint.
- Torrwch y nionyn yn fân a sleisiwch y cennin.
- Pliciwch y tatws a'u torri'n ddarnau o leiaf ddwy waith maint gweddill y llysiau.
- Wedi i'r cig ddod i'r berw, fe welwch ewyn (*scum*) wedi codi i'r wyneb. Gwagiwch y dŵr a'r ewyn o'r sosban.
- Rhowch y llysiau yn y sosban.
- Gorchuddiwch y cyfan â dŵr a'i godi i'r berw.
- Trowch y gwres i lawr a'i fudferwi am ryw ddwy awr i ddwy awr a hanner nes bod y cig yn frau.
- Mae rhai'n ychwanegu'r tatws hanner ffordd drwy'r coginio rhag iddynt fynd efo'r dŵr, ond mi rydw i'n hoffi'r trwch sy'n dod o adael i rywfaint o'r tatws falu'n fân.
- Mwynhewch gyda bara ffres a darn o gaws.

SALAD CIG MOCH AC WY GYDA THATWS NEWYDD

Pan o'n i'n ifanc, salad oedd letys, tomato, ciwcymbr, wy a sleisan o ham, a hwnnw weithia'n ham allan o dun. Pryd oer fydda salad bob amser – i'w fwyta yn yr haf neu pan oeddach chi ar ddeiet, ac i swper diwrnod Dolig. Erbyn hyn, mae yna bob math o bethau mewn salad ac mi fedrwch hi hyd yn oed gael salad poeth – a dyma i chi un!

Digon i 2

Cynhwysion

350g tatws newydd wedi'u sgwrio'n lân

5 neu 6 tafell o gig moch

3 wy

50g cnau cyll

bagiad o ddail letys amrywiol

Dresin

2 lond llwy fwrdd o hufen sur (*sour cream*)

llond llwy de o fwstard bras (*coarse grain mustard*)

Dull

- Torrwch y tatws yn eu hanner, neu yn eu chwarter os ydyn nhw'n fawr, a rhowch nhw i ferwi mewn sosban efo pinsiad o halen.
- Berwch yr wyau am 10 munud nes eu bod yn galed.
- Tra mae'r tatws a'r wyau'n coginio, torrwch y tafelli cig moch yn ddarnau a'u ffrio nes eu bod wedi crasu.
- Rhowch y cnau cyll mewn padell ar y gwres a'u crasu nes eu bod wedi cochi.
- Pan fydd y tatws yn barod, rhowch nhw mewn powlen efo'r cig moch a'r wyau wedi'u chwarteru.
- Ychwanegwch y letys a'r cnau cyll.
- Cymysgwch bopeth gan drio peidio chwalu'r wyau'n ormodol.
- Mewn powlen fach, cymysgwch yr hufen sur a'r mwstard, ac yna'i ddiferu dros y salad.
- Gallwch ei weini'n syth, neu ei fwyta'n oer.

PASTA PELI SELSIG MEWN SAWS TOMATO SBEISLYD

Pan o'n i'n tyfu i fyny, yn y chwedegau a'r saithdegau, yr unig basta roeddwn i'n ei gael oedd sbageti mewn tun, ond go brin y medrwch chi alw hwnnw'n basta! Troi fy nhrwyn arno fyddwn i a throi fy nhrwyn fwy fyth ar un o hoff brydau fy mrawd ar y pryd: tun o Campbell's Meatballs. Wyddwn i ddim sut oedd pasta go iawn yn blasu nes i mi gael fy nghyflwyno iddo gan griw o actorion Ewropeaidd oedd wedi dod i weithio efo Cwmni Theatr Brith Gof yn Aberystwyth yn yr wythdegau a minna'n actores ifanc yn fy swydd gynta. Wel, dyna ddatguddiad! Mae pasta wedi bod mor handi i fwydo'r teulu dros y blynyddoedd – hawdd, sydyn a rhad! Jest y peth ar gyfer bwydo teulu llwglyd. Dyma i chi rysáit sy'n defnyddio pecyn o selsig i wneud y peli cig, sy'n llai trafferthus na'r ffordd arferol o'u gwneud efo mins. Os ydach chi am ei wneud yn llai sbeislyd ar gyfer plant bach, yna peidiwch â rhoi'r tsili ynddo.

Digon i 4

Cynhwysion

500g selsig

1 nionyn wedi'i falu'n fân

2 ewin garlleg wedi'u malu'n fân

1 tsili mawr wedi'i falu'n fân (neu lwyaid o *chilli flakes*)

2 dun o domatos

1 llond llwy bwdin o *purée* tomato

1 llwy de o oregano sych

halen a phupur

olew i ffrio

pasta o'ch dewis

caws (os mynnwch)

Dull

- Gwasgwch y selsig o'u croen a'u ffurfio'n beli bach tua 4cm.
- Rhowch lwyaid fawr o olew mewn padell ffrio fawr ddwfn a ffrio'r peli selsig am ryw 6–7 munud nes eu bod wedi brownio drostynt.
- Tynnwch nhw o'r badell a'u rhoi i gadw'n gynnes tra byddwch chi'n gwneud y saws.
- Rhowch ychydig mwy o olew yn y badell a ffriwch y nionyn nes ei fod wedi dechrau meddalu.
- Ychwanegwch y garlleg a'r tsili gan ofalu peidio llosgi'r garlleg. Coginiwch am gwpwl o funudau.
- Ychwanegwch y tuniau tomatos, y *purée* tomato, yr oregano, a'r halen a phupur.
- Rhowch y peli selsig yn ôl yn y saws a throi'r gwres i lawr fel ei fod yn mudferwi tra byddwch yn coginio'r pasta.
- Gwagiwch y dŵr o'r pasta a'i rannu rhwng pob bowlen.
- Rhowch y peli cig ar ben y pasta.
- Ysgeintiwch ychydig o gaws (Parmesan fasa fy newis i) dros y cyfan, a digon o bupur du.

SALAD PASTA A SELSIG

Mae gen i bedwar o blant: tri bachgen – Meilir,
Peris a Ceuron – ac un ferch – Leri – ac mi roedd
'na waith bwydo arnyn nhw pan oeddan nhw'n
tyfu i fyny. Un peth oedd yn plesio bob amser
oedd pasta a selsig, am ei fod o'n blasu'n reit felys,
mae'n siŵr. Mi fyddwn ni'n bwyta hwn i de yn yr
haf, ac os bydd 'na beth yn sbâr, mae o jest y peth
i'w roi mewn bocs bwyd. Mi fyddwn i'n gorfod
ei rannu yn hytrach na gadael i'r plant helpu eu
hunain ers talwm, neu mi fyddai'n siŵr o godi'n
ffrae fod un wedi cael mwy o sosejys na'r llall!

Digon i 4

Cynhwysion

800g selsig

225g pasta

1 pupur coch

1 pupur melyn

bwnsh o sialóts (shibwns/
   spring onions)

bwnsh bach o rawnwin
   heb hadau

200g tomatos bach

3 llwyaid fawr o olew
   olewydd golau

1 llwyaid fawr o finegr
   balsamig

1 llond llwy de o fwstard
   bras (neu fwy, os ydach
   chi'n hoffi dipyn o gic)

1 llwyaid fawr o fêl clir

pupur du

Dull

- Coginiwch y selsig fel y mynnoch (eu rhoi nhw
  yn y popty am 30 munud fydda i).
- Coginiwch y pasta yn ôl y cyfarwyddiadau ar y paced.
- Torrwch y pupur a'r sialóts yn ddarnau bach.
- Torrwch y tomatos a'r grawnwin yn eu hanner.
- Cymysgwch yr olew, y finegr, y mwstard a'r mêl
  yn dda mewn jwg bach.
- Torrwch y selsig yn ddarnau.
- Draeniwch y pasta a'i roi mewn powlen fawr.
- Ychwanegwch bopeth arall a'u cymysgu'n dda.
- Rhowch ychydig o bupur du dros y cwbwl.
- Rhowch o ar y bwrdd i bawb helpu eu hunain –
  os medrwch chi eu trystio nhw i beidio ffraeo!

PITSA SELSIG

Os nad ydach chi erioed wedi trio gwneud pitsa ffres eich hun, mae'n werth trio unwaith o leia! Tydi o ddim gymaint â hynna o drafferth, yn enwedig os oes ganddoch chi beiriant cymysgu efo bachyn toes. Mae'n gymaint rhatach na phrynu pitsas parod, ac yn ffordd dda o lenwi boliau nythaid o blant llwglyd. Gallwch ddewis beth i'w roi ar ben y pitsas, ond gan fod dynion tŷ ni yn hoff o'u cig, dwi wedi bod yn rhoi selsig ar ein pitsas yn ddiweddar. Gyda llaw, os nad ydach chi'n bwyta caws, does dim rhaid i chi fod ar eich colled; mae'r rhain yn ddigon blasus hebddo.

I wneud 4 pitsa canolig

Cynhwysion

Toes

500g blawd bara cryf

2 lond llwy de o furum sych (*fast action*)

2 lwy de o halen

2 lond llwy fawr o olew olewydd (efo tsili neu arlleg ynddo, os oes gennych chi beth)

300ml dŵr claear (*tepid*)

Saws

1 nionyn wedi'i dorri'n fân

2 ewin garlleg wedi'u malu'n fân

1 llwyaid o olew olewydd

1 tun tomatos

1 llwy fawr o *purée* tomato

1 llond llwy de o oregano wedi'i sychu

halen a phupur

Topins

6 selsig tenau o safon uchel

2 belen o gaws mosarela (neu 60g caws Cheddar)

1 pupur o unrhyw liw wedi ei dorri'n ddarnau (dewisol)

2 domato (dewisol)

dail basil

Dull

- Cymysgwch gynhwysion y toes efo'i gilydd, gan ychwanegu ychydig mwy o ddŵr os nad ydi o'n dod at ei gilydd yn hawdd.

- Tylinwch yn dda nes bod y toes yn llyfn. (Gallwch ddefnyddio cymysgydd â bachyn toes i wneud hyn.) Os nad ydach chi'n siŵr sut mae tylino bara, mae digon o fideos ar YouTube yn dangos i chi sut i wneud hyn.

- Rhowch gadach llestri dros y bowlen a'i rhoi mewn lle cynnes nes bod y toes wedi dyblu mewn maint (tuag awr).

- Cynheswch y popty i'w wres uchaf.

- Tynnwch y croen oddi ar y selsig (does dim rhaid, ond mae'n well gen i wneud).

- Torrwch bob selsigen yn dri darn a'u ffrio ar wres cymedrol nes eu bod wedi coginio.

- Mewn sosban, ffriwch y nionyn a'r garlleg mewn llwyaid o olew nes eu bod yn feddal.

- Draeniwch y sudd o'r tun tomatos a'i ychwanegu i'r sosban gyda'r *purée* tomato, yr oregano, ac ysgeintiad o halen a phupur.

- Codwch y saws i'r berw cyn troi'r gwres i lawr a'i fudferwi nes bydd ychydig yn fwy trwchus.

- Torrwch y toes yn 4 darn a rholio pob darn yn gylch tenau (gan roi ychydig o flawd ar y bwrdd rhag iddo lynu).

- Rhowch y toes ar duniau pobi a'u gadael am ryw bum munud tra mae'r saws yn ffrwtian a'r selsig yn coginio, a chithau'n paratoi'r topins.

- Gratiwch y caws.

- Sleisiwch y tomatos a'r pupur, os ydych am eu defnyddio.

- Os oes ganddoch chi flendiwr llaw (*stick blender*), tynnwch y saws oddi ar y gwres a defnyddio'r blendiwr i gyfuno popeth. Os nad oes un ganddoch chi, does dim ots – mi fydd yr un mor flasus.

- Rhowch haenen o'r saws dros bob pitsa.

- Taenwch gaws dros y saws.

- Rhowch y selsig, y pupur a'r tomatos ar ben y caws.

- Coginiwch ar y gwres uchaf am oddeutu 12 munud.

- Gwasgarwch ddail basil dros y pitsas yn union cyn eu gweini.

SBAGETI CARBONARA EFO SBARION

Dydd Gwener ydi diwrnod siopa mawr yn ein tŷ ni. Felly, yn aml ar ddydd Iau mae hi fel y rhaglen deledu Ready Steady Cook *yma: be fedra i neud efo be sydd yn y tŷ, yn enwedig y petha sydd angen eu bwyta cyn iddyn nhw ddifetha? Dyma un o'r prydau hynny – mae'n barod mewn rhyw chwarter awr, ac mi fedrwch chi ei addasu yn ôl beth bynnag fydd ganddoch chi yn y tŷ. I'w wneud yn bryd llysieuol, jest peidiwch â defnyddio cig!*

Digon i 2

Cynnwys

3 tafell o gig moch (ham neu gig moch) wedi'u torri'n fân

1 genhinen (neu sialóts/ shibwns) wedi'i sleisio'n fân

1 ewin garlleg wedi'i dorri'n fân

150g madarch wedi'u sleisio

3 wy

60g hufen (dwbl, sengl neu *crème fraîche*)

halen a phupur

llond dwrn o gaws Parmesan wedi'i gratio

200g sbageti

Dull

- Rhowch y genhinen mewn ychydig o olew neu fenyn a'i rhoi mewn sosban ar wres cymedrol efo caead ar ei phen, gan gadw llygad rhag iddi ddechrau cydio.
- Rhowch y sbageti mewn sosban o ddŵr berw ar y stof. Edrychwch ar y paced i weld faint yn union o amser sydd ei angen i'w goginio.
- Pan mae'r cennin wedi dechrau meddalu, ychwanegwch y bacwn, a'u coginio heb gaead am ddau funud. Ychwanegwch y madarch i'r sosban a choginio'r cwbwl nes eu bod yn barod.
- Tra mae popeth arall yn coginio, rhowch yr wyau a'r hufen mewn jwg a'u curo'n dda.
- Ychwanegwch hanner y caws Parmesan i'r jwg.
- Pan mae'r sbageti a'r gymysgedd cig yn barod, gloywch (tywalltwch) y dŵr o'r sbageti a rhoi'r cig a'r llysiau ar ben y sbageti.
- Tywalltwch yr wyau a'r hufen ar eu pennau a'u cymysgu'n dda. Mi fydd gwres y sbageti'n coginio'r wy, ond peidiwch â'i roi yn ôl ar y stof neu mi gewch wy wedi'i sgramblo.
- Ychwanegwch ddigon o bupur du – a halen, os oes angen.
- I'w weini, rhowch y cwbwl mewn powlen efo gweddill y caws Parmesan wedi'i wasgaru drosto.

LASAGNE EOG

Mae llawer ohonon ni'n tueddu i goginio'r un petha dro ar ôl tro – pryd rydach chi'n gwybod y bydd y teulu'n ei fwynhau, yn enwedig pan ydach chi'n coginio ar gyfer rhai sy'n ffysi efo'u bwyd. Mae fy nheulu i, fodd bynnag, wedi hen arfer profi petha gwahanol sy'n cael eu gosod o'u blaenau – a'r ymateb wedi bod yn amrywiol. Anghredinedd oedd yr ymateb pan rois i hwn ar y bwrdd: 'Lasagne – efo salmon?!' Rhyw chwiw ddoth i mi un diwrnod ydi o, ond dwi'n meddwl ei fod yn gweithio! Gallwch amrywio'r llysiau yn ôl eich dant. Pan fydda i'n medru cael pecyn o ddail sbigoglys, berwr y dŵr a letys roced o'r archfarchnad, mi fydda i'n defnyddio hwnnw, gan ei roi yn amrwd ar ben yr eog.

Digon i 4

Cynnwys

tua 500g eog,
   wedi tynnu'r
   croen a'r esgyrn

500ml llefrith

1 genhinen wedi'i
   malu'n fân
   a'i golchi

lwmpyn o fenyn
   (tua 20g)

1 llond llwy fwrdd
   o flawd plaen

1 pen (bach) o frocoli
   wedi'i dorri'n
   ddarnau (ddim
   yn rhy fach)

pecyn o *lasagne*
   ffres (neu focsiad
   o *lasagne* wedi'i
   sychu)

dil / persli neu
   gennin syfi
   wedi'u malu'n fân

50g caws Parmesan
   wedi'i gratio

halen a phupur

Dull

- Cynheswch y popty i 190°C / ffan 170°C / nwy 5.
- Rhowch yr eog mewn padell fawr â chaead iddi a'i orchuddio â llefrith o'r 500ml.
- Rhowch y badell ar wres cymedrol â'r caead arni a gadael i'r eog goginio nes ei fod yn barod. (Byddwch yn ofalus rhag i'r llefrith godi i'r berw neu mi fydd wedi berwi drosodd yn sydyn iawn.)
- Mewn sosban, toddwch y menyn ac ychwanegu'r cennin. Rhowch gaead ar y sosban, troi'r gwres i lawr a choginio'r cennin nes eu bod yn feddal, gan eu troi bob hyn a hyn.
- Rhowch y brocoli mewn dŵr berw a'i goginio ar wres cymedrol am 5 munud cyn ei dynnu o'r dŵr.
- Tynnwch yr eog o'r badell a'i roi o'r neilltu.
- Pan fydd y cennin wedi meddalu, ychwanegwch y blawd a'i gymysgu'n dda.
- Ychwanegwch y llefrith o'r badell fesul tipyn gan droi'r gymysgedd drwy'r amser. Ychwanegwch weddill y llefrith nes bod gennych saws sydd ddim yn rhy wlyb.
- Ychwanegwch y perlysiau, ychydig o halen a phupur du, a hanner y caws.
- Torrwch yr eog yn ddarnau a thaenu traean ohono ar waelod dysgl *lasagne* gyda thraean y brocoli.
- Diferwch haenen o saws drostynt.
- Gorchuddiwch y cyfan â thafelli o *lasagne*.
- Gwnewch yr un peth eto gan orffen gyda haen o'r saws.
- Gwasgarwch y caws dros y cwbwl.
- Rhowch yn y popty a'i goginio am 20 munud nes bod y caws wedi crasu a'r saws i'w weld yn berwi rownd yr ochrau. (Efallai y bydd angen ychydig mwy o amser os ydych chi'n defnyddio *lasagne* wedi'i sychu.)
- Mwynhewch gyda salad gwyrdd.

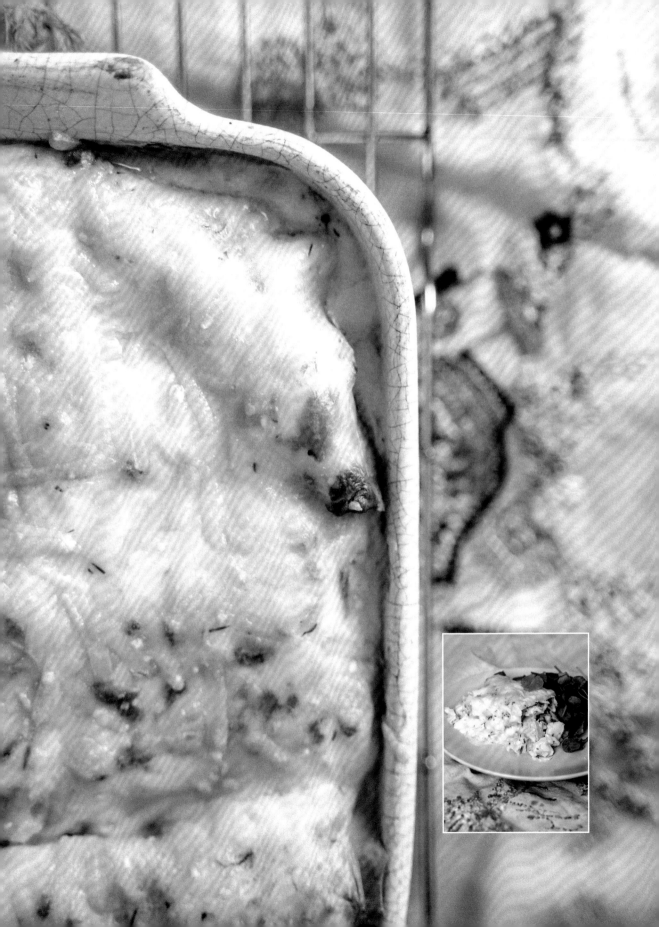

KEDGEREE EOG

Pryd bwyd o India ydi kedgeree *yn wreiddiol. Y tebyg ydi fod gwladychwyr oes Victoria wedi dod â'r rysáit yn ôl i Brydain efo nhw, a'r arfer oedd iddyn nhw ei weini fel brecwast yn y tai bonedd. Hadog melyn (smoked haddock) ydi'r pysgodyn arferol, ond yma dwi wedi addasu'r rysáit ac wedi defnyddio eog. Os ydach chi ar frys, mi fedrwch ddefnyddio pecynnau o reis parod ac eog hot smoked – a bwytwch o pryd bynnag fynnoch chi!*

Digon i 2

Cynhwysion

tua 260g eog

1 lemwn

llond cwpan o reis basmati brown (neu wyn)

3 wy wedi'u berwi

1 nionyn bach wedi'i falu'n fân

25g menyn

1 llond llwy fwrdd o bowdwr cyrri

1/4 llwy o bowdwr tyrmerig

llond dwrn o swltanas

halen a phupur

coriander wedi'i falu'n fân

Dull

- Cynheswch y popty i 200°C / ffan 180°C / nwy 6.
- Tynnwch groen yr eog a rhoi'r pysgodyn mewn tun rhostio.
- Torrwch y lemwn yn ei hanner ar ei hyd a gwasgu'r sudd dros yr eog.
- Rhowch haenen o ffoil dros y tun a phobi'r eog am oddeutu 14 munud nes ei fod yn barod.
- Rhowch y reis i ferwi yn ôl y canllawiau ar y paced.
- Berwch yr wyau am 10 munud.
- Tra mae'r wyau'n berwi, toddwch y menyn mewn padell fawr a ffrio'r nionyn ar wres isel.
- Cymysgwch y powdwr cyrri a'r tyrmerig i mewn i'r nionyn ac ychwanegu'r reis wedi'i goginio.
- Torrwch un wy yn fân a sleisiwch y lleill yn chwarteri.
- Torrwch yr eog yn ddarnau a'i ychwanegu i'r reis efo'r swltanas, yr wy sydd wedi'i falu'n fân a'r coriander.
- Ychwanegwch halen a phupur at eich dant a gosod gweddill yr wyau a'r hanner lemwn (wedi'i dorri'n ddau ddarn).
- Defnyddiwch y badell i'w weini.

TAGLIATELLE EOG
A CHAWS MEDDAL

Pryd bach hawdd a sydyn i un ydi hwn. Dyma fydda i'n ei neud yn aml pan mai dim ond y fi sydd adra i de. Mae'n ddigon hawdd ei addasu i fwydo mwy.

Digon i 1

Cynhwysion

1 darn o eog

1 lemwn

tua 75g pasta *tagliatelle* (neu sbageti)

100g caws meddal efo garlleg a pherlysiau

ychydig o gaws Parmesan wedi'i gratio

halen a phupur du

persli ffres, os oes gennych chi beth

un hanner bag bach o sbigoglys (*spinach*) wedi'i olchi

Dull

- Cynheswch y popty i 200°C / ffan 180°C / nwy 6.
- Tynnwch y croen oddi ar yr eog, gwasgwch sudd hanner lemwn drosto, ei lapio mewn ffoil a'i goginio am ryw 14 munud nes bydd o'n barod.
- Coginiwch y pasta yn ôl y cyfarwyddiadau ar y paced nes ei fod yn *al dente* (hynny yw, ddim rhy galed ond ddim wedi troi'n slwtsh!).
- Pan fydd y pasta'n barod, draeniwch y dŵr ond gan adael tua llond llwy fwrdd o ddŵr ar ôl yn y sosban.
- Rhowch y pasta 'nôl yn y sosban efo'r caws meddal a sudd yr hanner lemwn arall.
- Gosodwch y sosban ar wres isel a chymysgu'r pasta efo'r caws nes ei fod yn dechrau toddi.
- Torrwch yr eog i mewn i'r pasta ac ychwanegwch y sbigoglys. Mi fydd gwres yr eog yn gorffen toddi'r caws.
- I'w weini, rhowch y cwbwl mewn powlen efo crafiad o gaws Parmesan drosto, persli, os oes gennych chi beth, a digon o bupur du.

PENFRAS MEWN COCONYT Â SALSA MANGO

Tan y blynyddoedd dwytha yma, yr unig bysgod roeddwn i'n eu bwyta oedd eog, tun tiwna a phenfras o'r siop tsips. Ond ers i Leri'r ferch roi'r gorau i fwyta cig, a finna wedi gorfod meddwl am brydau gwahanol, dwi wedi defnyddio mwy o bysgod ac wedi bod yn arbrofi efo ryseitiau gwahanol. Dyma i chi un sydyn ac iachus iawn.

Digon i 4

Cynhwysion

4 darn o benfras wedi tynnu'r croen a'r esgyrn

2 owns o goconyt mân

1 wy wedi'i guro

1 llond llwy de o sbeisys Creole

chwistrelliad o olew olewydd

Salsa

1 mango

sudd 1 leim

1 tsili

1 nionyn coch

llond llaw o ddail coriander wedi'u malu'n fân

Dull

- Cynheswch y popty i 200°C / ffan 180°C / nwy 6.
- Curwch yr wy a'i roi ar blât.
- Rhowch y coconyt wedi'i gymysgu efo'r sbeisys ar blât arall.
- Rhowch chwistrelliad o olew ar dun pobi.
- Trochwch y darnau penfras yn yr wy ac wedyn yn y coconyt nes eu bod wedi'u gorchuddio i gyd, a'u rhoi ar y tun pobi.
- Rhowch nhw yn y popty am oddeutu 18 munud.
- Tra mae'r pysgod yn coginio, gwnewch y salsa. Torrwch y nionyn, y mango a'r tsili yn ddarnau bychain a'u cymysgu mewn powlen efo'r sudd leim a'r coriander.

SGOD A SGLOD INDIAIDD

Tydi Andrew ddim yn gallu goddef glwten ac mae hynny wedi rhoi cryn her i mi wrth goginio. Dwi wedi arbrofi efo addasu sawl rysáit: ambell un wedi gweithio ac ambell un ddim. Dyma i chi un sydd wedi plesio. Dwi wedi defnyddio'r cytew (batter) sy'n cael ei ddefnyddio i wneud bhaji nionod yn lle'r cytew a gaiff ei ddefnyddio fel arfer wrth ffrio pysgodyn, ac felly wedi cael pakoras, o roi eu henw Indiaidd arnyn nhw. Dwi'n hoffi gweini tatws melys wedi'u rhostio efo nhw a phys wedi'u stwnshio efo mintys neu bys slwj traddodiadol.

I wneud digon i 2

Cynhwysion

2 lond llwy fwrdd o flawd gram (*chickpea flour*)

1 llwyaid fawr o bowdwr cyrri

halen a phupur

dŵr i gymysgu

2 ddarn o benfras (wedi tynnu'r croen a'r esgyrn a'u torri'n ddarnau reit fawr)

2 daten felys wedi'u plicio a'u torri'n sglodion trwchus

olew i ffrio

olew efo tsili neu arlleg ynddo ar gyfer y sglodion

digon o bys i ddau

dyrnaid o fintys ffres wedi'u malu'n fân

hanner lemwn

Dull

- Cynheswch y popty i 200°C / ffan 180°C / 6 nwy.

- Rhowch y tatws melys mewn tun rhostio mawr a'u trochi mewn dwy lwyaid o olew (tsili neu arlleg) a'u rhoi yn y popty. Tynnwch nhw allan a'u troi bob hyn a hyn. Mi gymeran hwn ryw 35–40 munud i goginio.

- Pan fydd y sglodion wedi bod y popty am tua 25 munud, rhowch badell o olew ar y gwres i gynhesu, yn barod i ffrio'r pysgodyn.

- Cymysgwch y blawd gram efo halen a phupur a llwyaid fawr o bowdwr cyrri efo dŵr i wneud cytew eithaf trwchus (mwy trwchus na chytew crempog).

- Ychwanegwch eich darnau penfras a'u gorchuddio'n dda.

- Rhowch ddarn bach o fara yn yr olew i weld a ydi o'n ddigon poeth: os ydi o, bydd y darn bara'n ffrio ac yn codi i'r wyneb.

- Gollyngwch y darnau penfras yn ofalus i'r badell (peidiwch â defnyddio basged sglodion neu mi fydd y cytew'n glynu ynddi!).

- Ffriwch nes eu bod yn euraid a chrensiog (rhyw 4–5 munud).

- Tynnwch nhw allan a'u rhoi ar bapur cegin i amsugno unrhyw olew.

- Gwnewch yr un fath efo'r sglodion.

- Gosodwch ar blât i'w gweini gyda'r pys wedi'u stwnshio efo'r mintys, a rhowch chwarter lemwn ar ochr y plât.

CYRRI PENFRAS
A BLODFRESYCH

*Dyma i chi gyrri y medrwch chi ei goginio mewn llawer llai o amser nag y byddai'n
ei gymryd i fynd i nôl têc-awe. Mae o hefyd yn isel mewn braster, os defnyddiwch
chi laeth coconyt hanner braster (low fat). Cyrri ysgafn ydi o, sydd ddim yn rhy boeth.*

Digon i 4

Cynhwysion

4 darn o benfras heb
   groen a heb esgyrn

1 nionyn wedi'i falu'n fân

2 ewin garlleg

darn tua 5cm o sinsir

1 flodfresychen
   (*cauliflower*) fechan
   neu hanner un fawr

hanner llwyaid o
   dyrmerig

1 llwy fawr o bowdwr
   cyrri ysgafn

1 carton bach o basata

hanner tun o laeth
   coconyt

dyrnaid o ddail coriander

olew olewydd i ffrio

Dull

- Mewn padell fawr â chaead arni ffriwch y nionyn
  mewn olew olewydd nes ei fod wedi meddalu.

- Pwniwch y sinsir a'r garlleg mewn pestl a morter,
  os oes gennych chi un. Fel arall, defnyddiwch bowlen
  fechan a phen rholbren.

- Ychwanegwch y past sinsir a garlleg at y nionyn,
  a'u ffrio am gwpwl o funudau ar wres cymedrol.

- Ychwanegwch y powdwr cyrri a'r tyrmerig, a'u coginio
  am tua munud i ryddhau'r blas.

- Tywalltwch y pasata a'r llaeth coconyt dros y cyfan.

- Torrwch y flodfresychen yn ddarnau (ddim rhy fawr)
  a'u rhoi yn y badell.

- Gosodwch y pysgod ar ben y cwbwl a rhowch gaead
  ar y badell.

- Coginiwch am tua 10 munud nes bod y pysgodyn
  yn barod.

- Taenwch ddail coriander wedi'u malu dros y cyrri.

- Mwynhewch gyda reis.

FFLAN TIWNA
A NIONYN COCH

Pan oedd y plant yn yr ysgol gynradd fi oedd cadeirydd Cymdeithas Cyfeillion yr ysgol, ac un syniad ges i ar gyfer codi arian oedd casglu ryseitiau gan deuluoedd y plant a chreu llyfryn bach ohonyn nhw. Roeddwn i newydd gael cyfrifiadur ar y pryd ac wrth fy modd fy mod i'n medru creu taflenni fy hun. Cafwyd casgliad hyfryd o ryseitiau ac fe fuo'r llyfryn mor boblogaidd nes i ni greu ail un. Ges i swp o ryseitiau gan enethod Blynyddoedd 5 a 6. 'Gwych!' medda fi, tan i mi edrych yn fanwl a gweld petha fel rysáit crempog oedd yn cynnwys tri phwys o flawd, un wy, dŵr, llefrith a siwgr! Y genod oedd wedi creu'r ryseitiau o'u pen a'u pastwn eu hunain. Mi fasa wedi bod yn ddifyr gwneud ambell un ohonyn nhw, ond dwi'n amau na fydden nhw'n fwytadwy. Chwara teg iddyn nhw am drio!

Hwn oedd un o'r ryseitiau rois i yn y llyfryn. Mae fflan neu quiche yn handi iawn ar gyfer cinio neu fwffe, ac mae'n hawdd ei wneud yn bryd mwy sylweddol drwy ychwanegu taten bob a salad. Ond be newch chi os ydach chi, fel fy mhartner, ddim yn bwyta caws? Wel, dyma i chi fflan heb gaws: gallwch ei bwyta'n gynnes yn syth o'r popty neu'n oer yn eich pecyn bwyd i ginio.

Digon i roi darnau hael i 4 neu 6 darn llai

Cynhwysion

Toes

6 owns blawd sbelt neu flawd brown cyflawn

3 owns menyn

pinsiad o halen

dŵr i gymysgu

Llenwad

1 tun tiwna

1 nionyn coch wedi'i falu'n fân

125g o iogwrt naturiol (1 pot bach)

2 wy wedi'u curo

dyrnaid o bersli ffres wedi'i falu'n fân

halen a phupur

Dull

- Rhowch y blawd, y menyn a'r pinsiad o halen yn y prosesydd nes bod y gymysgedd yn edrych yn debyg i friwsion bara (neu defnyddiwch eich dwylo).

- Ychwanegwch y dŵr i greu toes, gan ofalu peidio â'i weithio ormod neu mi fydd y toes yn galed.

- Lapiwch y toes mewn papur pobi a'i roi i orffwys yn yr oergell am tua 20–30 munud.

- Cyneswch y popty i 200°C / ffan 180°C / nwy 6 a rhoi tun pobi ar y silff.

- Taenwch ychydig o flawd ar y bwrdd a'ch rholbren, a rholiwch y toes i lenwi dysgl 24cm.

- Gwagiwch y tiwna i fowlen a'i falu'n fân.

- Ychwanegwch yr holl gynhwysion eraill a'u cymysgu'n dda.

- Rhowch y gymysgedd ar ben y toes.

- Gosodwch y ddysgl ar ben y tun pobi, fydd wedi cynhesu erbyn hyn.

- Pobwch am oddeutu 40 munud nes bod y toes wedi coginio a'r llenwad wedi 'setio'.

RISOTO PWMPEN CNAU MENYN EFO CAWS GLAS

Fedrwn i ddim gwneud llyfr coginio heb o leia un rysáit risoto. Mae 'na rywbeth ymlaciol am wneud risoto – a chitha'n sefyll uwch ei ben yn ei droi, glasiad o win wrth law efallai, gan eich bod chi wedi gorfod agor y botel. Mi fues i'n pendroni am hir pa un i'w gynnwys, a setlo ar hwn yn y diwadd. Os nad ydach chi yn hoff o gaws glas, mi fedrwch ei newid am Parmesan; ac os nad ydach chi'n hoff o bwmpen, newidiwch o am domatos wedi'u rhostio, neu fadarch. Dyna sy'n grêt am risoto: mi fedrwch chi roi be fynnwch chi ynddo fo. Os nad oes ganddoch chi amynedd i sefyll uwchben y stof yn troi'r risoto, tywalltwch y stoc i gyd i mewn efo'i gilydd – dydi o ddim yn gwneud cymaint â hynna o wahaniaeth. Fydd o ddim mor hufennog ond mi fydd yn flasus.

Digon i 4

Cynhwysion

1kg pwmpen cnau menyn (*butternut squash*) wedi'i dorri'n giwbiau tua maint ciwbiau iâ

1 nionyn wedi'i falu'n fân

1 ewin garlleg

olew olewydd

1.5 litr o stoc llysiau

300g reis risoto

1 glasiad bach (tua 125ml) o win gwyn

100g Perl Las (neu unrhyw gaws glas arall)

halen a phupur du

dyrnaid o gennin syfi (*chives*)

tua llond 3 dwrn o ddail sbigoglys (*spinach*)

Dull

- Cynheswch y popty i 200°C / ffan 180°C / nwy 6.
- Rhowch y ciwbiau pwmpen mewn tun rhostio a thywallt ychydig o olew olewydd drostynt.
- Rhowch nhw yn y popty i rostio am tua 30 munud.
- Tra mae'r bwmpen yn rhostio, rhowch lwyaid fawr o olew olewydd mewn padell fawr a ffrio'r nionyn ynddi nes ei fod wedi meddalu.
- Dewch â sosbennaid o stoc (1.5 litr) i'r berw a'i adael i ffrwtian ar wres isel.
- Trowch y gwres i lawr dan y badell a rhowch y reis ynddi, a'i goginio am funud neu ddau nes bod y reis wedi amsugno'r olew.
- Tywalltwch y gwin ar ei ben a'i goginio nes bod y gwin wedi diflannu.
- Fesul llond llwy fawr, a gan ei droi'n gyson, ychwanegwch y stoc at y risoto nes bod y reis wedi coginio *al dente*, hynny yw, yn dal efo ychydig o frath a ddim yn slwtsh. Dylai'r risoto fod yn hufennog ac yn reit wlyb.
- Tynnwch y ciwbiau pwmpen o'r popty a'u rhoi yn y risoto.
- Os ydi'r dail sbigoglys yn fawr, torrwch nhw'n llai a'u hychwanegu at y risoto, a gadael iddyn nhw wywo.
- Efo'ch dwylo, torrwch y caws i mewn i'r risoto a'i droi'n ysgafn.
- Ychwanegwch bupur a halen yn ôl eich chwaeth, a thaenwch ddarnau o gennin syfi dros y cwbwl.

TSIPS AC WY YN Y POPTY

Cefais fy magu yn Llanberis, wrth droed yr Wyddfa, pentref sydd wedi bod yn atyniad i dwristiaid ers y bedwaredd ganrif ar bymtheg. Agorodd Mam gaffi yn ystafell ffrynt tŷ ni yn 1968 a'i redeg yn dymhorol (Pasg hyd ddechrau Hydref) gan weini paned a phrydau i gannoedd o bobol o bob man dros y deng mlynedd y bu ar agor. Doedd gan y caffi ddim enw; dim ond y gair CAFÊ yn fawr dwi'n cofio'i weld uwchben y drws, ond caffi Meffcin oedd o'n cael ei alw yn lleol. Meffcin achos mai Mafeking ydi enw'r tŷ a hynny, mae'n debyg, achos ei fod wedi cael ei adeiladu yn ystod cyfnod rhyfel y Boeriaid a'r gwarchae yn Mafeking. Un stori a glywais oedd fod brawd yr adeiladwr yn cwffio yn y rhyfel yna. Hyd y bu Mam farw yn 2018, roeddwn i'n cywiro'i hynganiad o'r gair Mafeking gan y bydda hi wastad yn rhoi ei chyfeiriad ar lafar fel Meffcin.

Tsips ac wy oedd un o'r prydau mwya poblogaidd yn y caffi, yn aml efo bîns neu sosej. Os dwi'n cofio'n iawn, 45c oedd platiad o wy a tsips pan o'n i'n gweithio yno, yn dair ar ddeg oed. Er mod i wedi gorfod helpu ers pan oeddwn i'n ddigon hen i fedru rhoi menyn ar frechdan, erbyn i mi gyrraedd deuddeg oed roedd Mam yn talu cyflog i mi. Fy nyletswyddau i oedd golchi a sychu llestri (doedd dim peiriant), gwneud brechdanau a phaneidiau, gan adael y coginio i Mam. Doedd y gegin ddim yn fawr, a gan fod tair neu bedair ohonon ni'n gweithio yno yn wythnosau prysur gwyliau'r haf roedd yn

rhaid dysgu sut i ddawnsio o amgylch ein gilydd. Roedd hi'n boeth a swnllyd rhwng sŵn hisian y peiriant coffi a'r ffriwr, clatsian y llestri a Mam yn gweiddi ordors. Mae fy edmygedd i'n fawr o chefs proffesiynol fel fy mab sy'n llwyddo i greu gwyrthiau mewn ceginau bychan prysur – tydi hi wir ddim yn job hawdd!

Roeddwn i hefyd yn gorfod gweini yn y caffi. Dyna i chi job arall sydd ddim mor hawdd ag mae'n edrych! Roeddwn i'n waitress wael ac mae un atgof yn aros yn fy nghof. Roeddwn i'n dair ar ddeg a'r caffi'n brysur a finna'n cario hambwrdd efo dau blatiad o tsips, bîns ac wy i gwpwl o Saeson oedd ar eu gwyliau yn Llanberis. Mi godis i un plât ac wrth i mi wneud mi lithrodd y platiad arall a glanio ar lin y dyn! Mi ddychrynais gymaint nes i mi i ollwng y plât arall ar y bwrdd a rhedeg i'r cefn gan adael i Mam ddelio efo'r cwsmer. Chwara teg, roedd y dyn yn garedig iawn ac isio i mi fynd yn ôl i'r caffi er mwyn iddo fo gael dweud fod dim rhaid i mi boeni. Ond gwrthod mynd yn ôl i'r caffi nes iddo fo fynd wnes i, gymaint oedd fy nghywilydd. Mi wnaeth Mam blatiad arall iddo fo, ac ar ôl iddo fo fynd mi sylwodd ei bod wedi codi am y platiad gafodd o ar ei lin hefyd!

Rheswm arall pam mae tsips ac wy yn aros yn fy nghof ydi achos mai hwn oedd y pryd cyntaf wnaeth Andrew ei goginio i mi. Roedd o wedi gofyn be faswn i'n licio ac mi roeddwn i wedi ateb tsips ac wy, gan feddwl

mai dyna'r peth hawsa iddo fo'i neud. Roeddwn i yn yr ystafell fyw yn gwrando arno wrthi yn y gegin ac mi glywn i ryw duchan. Mi gynigiais helpu a chael, 'Na, mae'n iawn, diolch' yn ateb, ond roeddwn i'n methu peidio mynd i'r gegin i fusnesu. Dyna lle roedd dau wy wedi'u sgramblo yn y bin a fynta wrthi'n trio troi wy yn y badell – efo fforc! Mae o'n gwbod sut i ffrio wy erbyn hyn.

Dyma i chi fersiwn hawdd ac isel mewn braster.

Digon i 2

Cynhwysion

2 daten fawr

4 tomato

2 wy

2 fadarchen Portabelo
(madarch mawr)

olew olewydd

dail teim

halen cras a phupur du

Dull

- Cynheswch y popty i 200˚C / ffan 180˚C / nwy 6.
- Pliciwch y tatws a'u torri'n sglodion. Rinsiwch nhw mewn dŵr oer a'u sychu mewn lliain glân.
- Rhowch y tatws mewn tun rhostio mawr. Ddylai'r tatws ddim llenwi'r tun.
- Gwasgarwch ddail teim dros y tatws.
- Tywalltwch olew drostynt a'u trochi'n dda, a'u rhoi yn y popty am 10 munud.
- Tynnwch y tatws allan, eu hysgwyd ac yna gosod y tomatos a'r madarch yn eu plith gan daenu ychydig o olew drostynt hwythau.
- Coginiwch nhw am tua hanner awr arall, a phan fyddan nhw'n edrych fel petaen nhw bron yn barod, tynnwch y tun o'r popty.
- Gwthiwch gynnwys y tun o'r neilltu i wneud lle i ollwng dau wy yn eu canol.
- Torrwch yr wyau i gwpan gyntaf, fesul un, a'u gollwng yn ofalus i'r tun.
- Rhowch y tun yn ôl yn y popty am tua 6–7 munud arall nes bod y gwynnwy wedi setio.
- Tasgwch halen cras a phupur du dros y cyfan.

PWDINAU

ROULADE MWYAR DUON

Tydi Andrew, fy mhartner, ddim yn medru goddef gwenith, felly mi fydda i'n gwneud meringues yn aml. Maen nhw'n hawdd i'w gwneud, dim ond i chi ddilyn y cyfarwyddiadau, ond yn medru edrych yn drawiadol. Tydi roulade ddim yn cymryd llawer o amser i goginio, felly mae'n barod yn llawer cynt na phaflofa. Mi fedrwch chi roi unrhyw ffrwyth ynddi, wrth gwrs, ond dwi'n hoffi defnyddio mwyar duon achos dwi'n credu fod chwerwder y mwyar yn gwrthgyferbynnu'n dda â melyster y meringue.

Cynhwysion

Meringue:

3 gwynnwy

6 owns siwgr mân

1 llwy de o finegr gwyn

1 llwy de o flawd corn (*cornflour*)

Llenwad

300g mwyar duon

1 llond llwy bwdin o siwgr mân

2 lond llwy bwdin o'r gwirod mafon du Chambord (dewisol)

380ml hufen dwbl (neu gymysgedd o hufen dwbl ac iogwrt Groegaidd)

Dull

- Cynheswch y popty i 180°C / ffan 160°C / nwy 4.
- Rhowch haenen o bapur pobi ar dun pobi maint 23cm × 32cm.
- Chwisgiwch y gwynnwy nes ei fod yn stiff ac yn sefyll yn bigau.
- Ychwanegwch 1 llwy fwrdd o'r siwgr mân a chwisgiwch nes bod y gymysgedd yn ffurfio copaon sgleiniog.
- Ychwanegwch weddill y siwgr, fesul llwyaid, nes bod y gymysgedd yn drwchus ac yn sgleiniog.
- Ychwanegwch y blawd corn a'r finegr a'u cymysgu'n ofalus.
- Taenwch y gymysgedd ar hyd y tun a'i phobi am 12–15 munud neu nes ei bod yn teimlo'n galed wrth ei chyffwrdd. Gadewch iddi oeri.
- Cymerwch lond llaw o'r mwyar duon a mudferwch nhw gyda'r siwgr mân a'r Chambord nes bod y mwyar duon yn feddal – tua 10 munud.
- I'w roi at ei gilydd, gosodwch liain sychu llestri glân ar y bwrdd a darn mawr o bapur pobi drosto. Yna, rhowch dun y *meringue* ben i waered arno'n ofalus. Tynnwch y tun a'r papur.
- Chwipiwch yr hufen nes ei fod yn drwchus ond heb fod yn rhy stiff; ychwanegwch lwyaid fawr o Chambord (a'r iogwrt Groegaidd, os ydych chi'n ei ddefnyddio; gallwch chi hefyd ychwanegu llwy de o siwgr eisin os ydych chi'n hoffi'ch hufen yn felys – yn bersonol dwi'n meddwl bod y *meringue* yn hen ddigon melys) ac yna'i daenu dros y *meringue*.
- Gwasgarwch y mwyar duon dros yr hufen.
- Gan wneud yn siŵr fod yr ochr fyrraf yn eich wynebu, rholiwch y *roulade*: codwch y papur, rhoi eich llaw oddi tano a mynd â'r papur (a'r *roulade*) oddi wrthych.
- Codwch y *roulade* yn ofalus (mi fydda i'n defnyddio 2 *fish slice*) a'i rhoi ar blât hir.
- Yn union cyn i chi ei gweini, taenwch y mwyar duon wedi'u coginio (a'u hoeri) dros y *roulade*.

ROULADE MANGO, COCONYT A RYM

Mae hon yn debyg iawn i'r roulade mwyar duon, ond tra mai pwdin ar gyfer yr hydref a'r gaeaf ydi honno, mae hon, yn fy marn i, yn gweddu'n well i'r haf.

Cynhwysion

Meringue:

3 gwynnwy

6 owns siwgr mân

1 llond llwy de o finegr gwyn

1 llond llwy de o flawd corn (*cornflour*)

Llenwad

1 mango mawr wedi'i dorri'n sgwariau bach

1 llond cwpan o goconyt mân

pot bach o hufen dwbwl

pot bach o iogwrt Groegaidd blas coconyt

2 lond llwy fwrdd o rym gwyn

100g siocled du

Dull

- Cynheswch y popty i 180°C / ffan 160°C / nwy 4.
- Rhowch haenen o bapur pobi ar dun pobi maint 23cm × 32cm.
- Rhowch y coconyt mewn padell ffrio sych ar y stof a thostio'r coconyt nes ei fod wedi brownio.
- Chwisgiwch y gwynnwy nes ei fod yn stiff ac yn sefyll yn bigau.
- Ychwanegwch 1 llwy fwrdd o'r siwgr mân a'i chwisgio nes bod y gymysgedd yn ffurfio copaon sgleiniog.
- Ychwanegwch weddill y siwgr, fesul llwy, nes bod y gymysgedd yn drwchus ac yn sgleiniog.
- Ychwanegwch y blawd corn a'r finegr a chymysgu'n ofalus.
- Taenwch y gymysgedd ar hyd y tun a gwasgaru'r coconyt drosti.
- Pobwch am 12–15 munud neu nes ei fod yn teimlo'n galed wrth ei gyffwrdd. Gadewch iddo oeri.
- I'w roi at ei gilydd, gosodwch liain sychu llestri glân ar y bwrdd a darn mawr o bapur pobi drosto. Gosodwch ddarn mawr o bapur pobi ar y bwrdd, yna rhowch y tun *meringue* ben i waered arno'n ofalus. Tynnwch y tun a'r papur.
- Chwipiwch yr hufen nes ei fod yn drwchus ond heb fod yn rhy stiff, ychwanegwch y rym a'r iogwrt Groegaidd ac yna'i daenu dros y *meringue*.
- Gwasgarwch y mango dros yr hufen.
- Gan wneud yn siŵr fod yr ochr fyrraf yn eich wynebu, rholiwch y *roulade*. Codwch y papur, rhoi eich llaw oddi tano a mynd â'r papur (a'r *roulade*) oddi wrthych.
- Codwch y *roulade* yn ofalus (mi fydda i'n defnyddio 2 *fish slice*) a'i rhoi ar blât hir.
- Toddwch y siocled mewn microdon ar wres isel neu mewn powlen uwchben sosbennaid o ddŵr yn mudferwi.
- Gan ddefnyddio fforc, neu fag peipio, diferwch y siocled ar draws y *roulade*.

PAVLOVA MELBA

Roedd fy mam yn un dda am wneud pavlova, ac rydw inna wedi gwneud degau, os nad cannoedd, ohonyn nhw dros y blynyddoedd. Pavlova ydi'r pwdin fydda i'n ei wneud os dwi isio rhywbeth hawdd ond sy'n edrach yn drawiadol. Mae pavlova wedi'i enwi ar ôl balerina enwog o Rwsia – Anna Pavlova; mae'n debyg fod y meringue yn ymdebygu i dwtw! Yma dwi wedi cyfuno'r falerina efo'r gantores – y soprano o Awstralia, Nellie Melba. Ddiwedd y bedwaredd ganrif ar bymtheg fe greodd y chef Ffrengig enwog Auguste Escoffier, o westy'r Savoy yn Llundain, bwdin yn cynnwys eirin gwlanog, mafon a hufen iâ fanila, a'i enwi ar ôl Nelllie Melba. Y blasau hynny ydi sail y rysáit yma.

Cynhwysion

Meringue:

4 gwynnwy

225g siwgr mân

1 llwy de o finegr gwyn

1 llwy de o flawd corn (*cornflour*)

Llenwad

1 pot mawr o hufen dwbwl

4 eirinen wlanog (*peach*)

300g o fafon

1 llond llwy fwrdd o siwgr eisin

Dull

- Cynheswch y popty i 130˚C / ffan 110˚C / nwy 0.5.
- Rhowch haenen o bapur pobi ar ddau dun pobi.
- Chwisgiwch y gwynnwy nes ei fod yn stiff ac yn sefyll yn bigau.
- Ychwanegwch 1 llwy fwrdd o'r siwgr mân a chwisgiwch nes bod y gymysgedd yn ffurfio copaon sgleiniog.
- Ychwanegwch weddill y siwgr, fesul llwyaid, nes bod y gymysgedd yn drwchus ac yn sgleiniog.
- Ychwanegwch y blawd corn a'r finegr a'u cymysgu'n ofalus.
- Rhowch hanner y gymysgedd ar siâp cylch ar y ddau dun pobi, gan geisio'u gwneud yr un maint. (Gallwch wneud cylch efo pensil ar y papur yn gyntaf, os mynnwch.)
- Rhowch nhw yn y popty a'u coginio am awr cyn troi'r tymheredd i lawr i 100˚C / ffan 80˚C / nwy 0.25 am awr arall.
- Gadewch iddyn nhw oeri'n llwyr yn y popty (o leia ddwyawr).
- Chwipiwch yr hufen a sleisiwch yr eirin gwlanog.
- Rhowch hanner y mafon mewn powlen efo'r siwgr eisin a'u malu efo fforc i wneud *coulis*.
- Tynnwch y *meringue* yn ofalus oddi ar y papur. Peidiwch â phoeni gormod os ydi o'n cracio – mae hynny'n reit normal.
- Rhowch un ddisgen ar blât a rhoi haenen o hufen drosti.
- Rhowch hanner y mafon sydd ar ôl dros yr hufen.
- Gan ofalu fod digon o eirin gwlanog i addurno ochrau'r haen uchaf o *meringue*, rhowch eirin gwlanog efo'r mafon ar y *meringue*.
- Rhowch yr ail ddisgen ar ben y llall.
- Rhowch ddigon o hufen mewn bag peipio i fedru peipio rhosod o amgylch y *meringue*.
- Rhowch weddill yr hufen dros y ddisgen.
- Gosodwch y *coulis* mafon yn y canol gan gadw ychydig ar un ochr.
- Peipiwch rosod o hufen o'u hamgylch.
- Gosodwch yr eirin gwlanog rhwng pob rhosyn.
- Diferwch weddill y *coulis* mafon dros y cwbwl.

MERINGUES EFO SIOCLED

Marks & Spencer oedd hoff siop Mam. Doedd hi ddim yn yrwraig hyderus a fyddai hi ddim ond yn gyrru pan oedd rhaid, ac yn sicr doedd hi ddim yn hoffi dreifio ymhell. Dwi ddim yn ei chofio hi'n dreifio ymhellach nag o Lanberis i Landudno. Llandudno achos mai dyna lle roedd yr M&S agosa. Pan oeddwn i'n blentyn, roeddwn i wrth fy modd pan oedd Mam wedi bod yno achos mi fyddai hi'n dod â danteithion yn ôl efo hi: bisgedi buttercrunch creams, *cacen cnau Ffrengig, treiffls bach a* meringues *siocled. 'Aer ydi'r rhan fwya o meringues,' fydda hi'n ddeud, 'felly tydyn nhw'n gneud dim drwg i chi!'*

Cynhwysion

Meringue:

3 gwynnwy

6 owns siwgr mân

1 llwy de o finegr gwyn

Llenwad

125g siocled

300ml hufen dwbwl

llwyaid llwy bwdin
   o siwgr eisin

llwy de o rinflas fanila
   (*vanilla essence*)

Dull

- Cynheswch y popty i 110°C / ffan 100°C / nwy 0.25.
- Rhowch haenen o bapur pobi ar ddau dun pobi.
- Chwisgiwch y gwynnwy nes ei fod yn stiff ac yn sefyll yn bigau.
- Ychwanegwch 1 llwy fwrdd o'r siwgr mân a chwisgiwch nes bod y gymysgedd yn ffurfio copaon sgleiniog.
- Ychwanegwch weddill y siwgr, fesul llond llwy, nes bod y gymysgedd yn drwchus ac yn sgleiniog.
- Ychwanegwch y finegr a'i gymysgu'n ofalus.
- Un ai gosodwch y *meringues* yn gylchoedd tua 6cm o faint neu peipiwch nhw.
- Rhowch nhw yn y popty am ryw awr a hanner nes eu bod wedi caledu.
- Gadewch iddyn nhw oeri'n llwyr yn y popty.
- Chwipiwch yr hufen ac ychwanegu'r rhinflas fanila a'r llwyaid o siwgr eisin.
- Torrwch y siocled yn ddarnau a'i roi i doddi mewn powlen uwchben sosbennaid o ddŵr sy'n mudferwi ar y stof.
- Tynnwch y *meringue* yn ofalus oddi ar y papur a gollwng eu gwaelodion i'r siocled wedi toddi. Rhowch nhw 'nôl ar y papur yn ofalus.
- Wedi i'r siocled setio (rhowch nhw yn yr oergell am ychydig), rhowch hufen yn y canol rhwng pob cwpwl o *meringues*.

Mi gadwith y *meringues* (heb yr hufen a'r siocled) mewn tun am hyd at bythefnos, felly does dim rhaid i chi eu bwyta nhw i gyd yr un pryd!

TREIFFL OREN A SIOCLED

Mi fyddai Mam yn gwneud treiffl i bwdin bob Dolig ac mi ydw inna wedi cario'r traddodiad ymlaen. Rhan o'r traddodiad erbyn hyn ydi mod i'n cael gweddillion y treiffl i frecwast bob bora San Steffan! Treiffl traddodiadol, hawdd a sydyn iawn i'w wneud oedd treiffl Mam: swiss roll, jeli coch, tun o fefus, tun o gwstard a haenen drwchus o hufen ar ei ben – ond mae hwn ychydig crandiach. Mae i fyny i chi pa mor drafferthus ydach chi am wneud y rysáit yma. Gallwch ddefnyddio sbwnj a chwstard wedi'u prynu'n barod neu eu gwneud nhw eich hun, a gallwch addurno'r treiffl efo peli bach yn lle'r oren.

Digon i 10

Mi fyddwch angen powlen dreiffl fawr, diamedr tua 20cm wrth 13cm o uchder.

Cynhwysion

1 oren

1 llond llwy fwrdd o siwgr

sbwng siocled wedi'i wneud efo 2 wy, 4 owns siwgr mân, 4 owns menyn, 3 owns blawd a llwyaid fawr o bowdwr cocoa wedi'u cymysgu efo'i gilydd yn dda a'u pobi mewn tun maint 20cm am 18 munud mewn popty ar wres o 190°C / ffan 170°C / nwy 5.

2 baced jeli oren

tun o fandarins

carton mawr o gwstard parod

250g siocled tywyll wedi'i dorri'n ddarnau

carton 300g o hufen dwbwl

Dull

- Sleisiwch yr oren yn denau, rhoi'r sleisys mewn sosban a'u gorchuddio efo dŵr.
- Codwch i'r berw ac yna gwagio'r dŵr a thynnu'r oren o'r sosban. (Mae gwneud hyn yn arbed croen yr oren rhag bod yn chwerw.)
- Gwnewch surop drwy roi llond llwy o siwgr yn y sosban efo 3 llond llwy o ddŵr neu ddigon i orchuddio'r tafelli orenau pan rowch chi nhw yn ôl yn y sosban.
- Codwch y surop i'r berw a throi'r gwres i lawr.
- Rhowch yr orenau yn y surop a'u coginio am ryw 20–30 munud nes bod yr orenau wedi mynd yn dryloyw.
- Tynnwch nhw o'r sosban a'u gadael ar bapur pobi i sychu am rai oriau (dros nos fyddai orau) neu rhowch nhw mewn popty ar wres isel nes eu bod wedi sychu.
- Gwnewch un o'r pacedi jeli yn ôl y cyfarwyddiadau ar y paced a'i roi yn y bowlen wydr. Rhowch yn yr oergell i setio am gwpwl o oriau.
- Rhowch y gacen siocled ar ben y jeli.
- Gwnewch yr ail baced o jeli gan ddefnyddio'r sudd o'r tun mandarins yn lle dŵr oer.
- Rhowch y mandarins ar ben y gacen siocled a'u gorchuddio efo'r jeli.
- Rhowch y treiffl yn ôl yn yr oergell i setio.
- Pan mae'r jeli wedi setio, toddwch 150g o siocled un ai yn y microdon ar wres canolig neu mewn powlen uwch sosbennaid o ddŵr yn mudferwi.
- Rhowch y cwstard mewn jwg.
- Rhowch y siocled wedi'i doddi i mewn yn y cwstard a'i droi'n dda.
- Gadewch iddo oeri (ond ddim setio) cyn ei dywallt dros y treiffl.
- Rhowch y cwbwl 'nôl yn yr oergell i setio ychydig cyn rhoi haenen o hufen dwbwl wedi'i chwipio dros y cwstard.
- Toddwch weddill y siocled a throchi hanner pob sleisen o oren ynddo cyn gosod yr orenau i sychu ar bapur pobi.
- Addurnwch y treiffl â'r cylchoedd oren.

Mam efo'i threiffl a finna'n golchi llestri.

TARTENNI SIOCLED EFO CRWST COCONYT

Dyma ymgais arall i wneud pwdin difyr sy'n ddi glwten. Dwi'n falch fy mod wedi darganfod fod modd gwneud tartenni bach mor hawdd allan o goconyt a gwynnwy. Defnyddiwch y desiccated coconut *a geir yn adran bobi'r archfarchnad, yn hytrach na'r stwff manach sydd i'w gael yn yr adran bwydydd Asiaidd. Mae'r rhain yn bethau y medrwch chi eu gwneud efo gwynnwy dros ben ar ôl gwneud pasta.*

10 tarten fach

Cynhwysion

2 wynnwy

100g coconyt mân
(*desiccated coconut*)

125g siocled du wedi'i
dorri'n ddarnau

3 gwynnwy wedi'u
chwipio

1 llond llwy fwrdd o siwgr
mân

2 lond llwy de o Camp
Coffee Essence

ychydig o fenyn i iro

Dull

Crwst

- Irwch dun pwdinau Efrog efo menyn, ac os nad ydi o'n dun *non-stick* rhowch gylch o bapur pobi yng ngwaelod pob 'twll'.
- Curwch 2 wynnwy nes bod y gymysgedd yn sefyll yn bigau.
- Ychwanegwch y coconyt a'i gymysgu'n dda.
- Gwthiwch y gymysgedd i'r tyllau i ffurfio cwpanau bach.
- Pobwch nhw am 12–15 munud mewn popty ar wres 190˚C / ffan 170˚C / nwy 5 nes eu bod wedi cochi, ond cadwch lygad rhag ofn iddyn nhw grasu gormod.

Mousse

- Rhowch y siocled a'r rhinflas coffi mewn powlen a'i gosod uwchben sosbennaid o ddŵr sy'n mudferwi ar y stof. Gofalwch nad ydi'r bowlen yn y dŵr, a gadewch i'r siocled doddi.
- Chwipiwch 3 gwynnwy.
- Pan fydd y siocled wedi toddi, tynnwch y bowlen oddi ar y stof a chymysgu'r gwynnwy iddo fesul llwyaid.
- Ychwanegwch y siwgr yn ofalus. Gwyliwch rhag gorgymysgu neu mi gollwch yr aer gafodd ei godi wrth chwipio'r gwynnwy.
- Rhowch y siocled yn y crwst.
- Gallwch addurno'r tartenni efo mafon neu gneuen.

CRYMBL FFRWYTHAU EFO CEIRCH A CHNAU

Dwi'n credu mewn eistedd wrth fwrdd i fwyta pryd. Dyma'r amser y byddwn ni fel teulu'n cael cyfle i sgwrsio a dal i fyny efo digwyddiadau'r dydd. Dyma'r amser hefyd i werthfawrogi bwyd a bod rhywun wedi trafferthu i'w wneud o i chi. Dwi wedi dysgu fy mhlant i ddiolch am eu prydau, a wnân nhw, na fy llysfeibion, fyth godi oddi wrth y bwrdd heb ddweud diolch neu 'neis-iawn-diolch-yn-fawr', fel sy'n cael ei ddweud fel arfer. Ond y ffordd orau sydd ganddyn nhw o ddiolch i mi ydi efo platiau glân a phob tamed wedi'i twyta!

Dwi wedi bwyta cinio dydd Sul traddodiadol ar hyd fy oes. Hyd yn oed pan fyddwn i'n byw fy hun, mi fyddwn i'n gwneud cinio dydd Sul. Fyddai Mam ddim yn deall pam o'n i'n trafferthu, a f'ateb i iddi oedd: 'Pam ddim?' Mi fydd yna wastad bwdin hefyd, rhyw fath o grymbl fel arfer a'i gynnwys yn amrywio yn ôl y tymor. Mi fydda i hefyd yn amrywio'r crymbl ei hun, ond hwn dwi'n neud amla.

Cynhwysion

450g o ffrwythau – mafon, llus, afal, eirin, mwyar duon, bricyll – yn ôl y tymor, neu beth bynnag sy'n mynd â'ch ffansi. Dwi'n hoff o fafon a mefus; mae blas mefus wedi'u coginio yn anghyffredin, neu fricyll (*apricots*) a ffigys.

Surop *agave*, mêl neu siwgr

100g blawd plaen

100g menyn

50g ceirch uwd (*rolled oats*)

50g cnau wedi'u torri'n fân

50g siwgr demerara

Dull

- Cynheswch y popty i 200°C / ffan 180°C / nwy 6.
- Golchwch y ffrwythau a'u rhoi mewn dysgl.
- Er mwyn ceisio torri i lawr ar siwgr, yn ddiweddar dwi wedi bod yn defnyddio surop *agave*, gan ei wasgu dros y ffrwythau. Mae'n fwy melys na siwgr, felly does dim angen eu gorchuddio nhw i gyd. Gallwch ddefnyddio mêl neu siwgr cyffredin hefyd.
- Rhwbiwch y menyn i'r blawd nes ei fod yn edrych fel briwsion bara.
- Ychwanegwch y ceirch, y cnau a'r siwgr.
- Taenwch y gymysgedd dros y ffrwythau.
- Rhowch y cwbwl yn y popty am 30 munud nes bod y crymbl wedi cochi a sudd y ffrwythau i'w weld rownd yr ochrau.
- I'w weini – hufen ffres, iogwrt neu gwstard.

Mae'n neis iawn yn oer hefyd pan fydd y crymbl wedi caledu.

STIW MWYAR DUON EFO MENYN TODDI

Dwi ddim yn or-hoff o bwdin Dolig. Pan dwi'n mynd allan i bartïon Dolig, fydda i fyth yn ei ddewis o flaen y cynigion eraill fel treiffl neu baflofa. Y ddau yna ydi ein pwdin Dolig ni ers blynyddoedd, ond mi fyddwn i'n prynu pwdin Dolig bach i Mam pan fyddai hi'n dod aton ni i dreulio'r ŵyl. Mi fyddwn i'n arfer gwneud menyn toddi i fynd efo fo. Cwstard gwyn dwi wedi'i alw fo erioed, ond dwi wedi defnyddio 'menyn toddi' yma gan mod i'n hoffi'r enw. Mi fyddai Mam yn gneud cwstard gwyn i ni i gyd-fynd efo stiw mwyar duon, pan fyddai'r mwyar yn drwm hyd y perthi yn Llanberis, lle magwyd fi. Roedd ganddi ddysglau stainless steel ac yn y rheini fyddai hi'n ei roi efo pwll o fwyar wedi'u stiwio yn ei ganol. Mi fyddai hi'n gwneud dau bob un i ni: un i'w fwyta'n gynnes a'r llall i'w fwyta'n oer pan fyddai'r cwstard wedi setio'n galed a'r sudd o'r mwyar wedi gwaedu drosto i greu patrwm piws dros y gwyn.

Digon i 4

Cynhwysion

300g mwyar duon

100g siwgr (yn ôl eich dant)

30g menyn dihalen

20g blawd corn (*cornflour*)

300ml llefrith

1 llond llwy de siwgr mân

Dull

- Golchwch y mwyar yn dda. Un ffordd dda o wneud hyn ydi eu mwydo mewn dŵr efo ychydig o finegr. Mi fydd unrhyw gynrhon yn arnofio i'r wyneb. Cofiwch eu golchi nhw'n iawn wedyn i gael gwared ar y blas finegr.

- Rhowch nhw mewn sosban efo'r siwgr ac ychydig o ddŵr ar wres cymedrol.

- Gadewch i'r siwgr doddi'n llwyr a mudferwch y mwyar am ryw 5–10 munud eto.

- I wneud y menyn toddi, toddwch y menyn mewn sosban.

- Cymysgwch y blawd corn efo ychydig o ddŵr oer mewn cwpan i wneud past.

- Tynnwch y sosban oddi ar y gwres a chymysgu'r past i'r menyn sydd wedi toddi.

- Tywalltwch y llefrith i mewn yn raddol, gan ei droi drwy'r amser, ac yna ychwanegwch y siwgr.

- Rhowch y sosban yn ôl ar y gwres a dod â'r cyfan i'r berw a'i fudferwi am 2–3 munud, nes ei fod wedi tewychu, gan ei droi'n gyson.

- Rhannwch y menyn toddi rhwng powlenni a rhoi'r mwyar yn ei ganol.

BARA BRITH WEDI'I FFRIO EFO MENYN BRANDI

Dim ond un taid dwi'n ei gofio'n iawn, yr un o ochr fy mam, gan i'r taid arall farw pan oeddwn i'n ifanc. Dyn bach oedd Taid Dre, plastrwr wrth ei alwedigaeth, ond bu'n rhaid iddo fo stopio gweithio yn el bumdegau oherwydd iechyd gwael. Pan dwi'n meddwl amdano, mi fedra i glywed ei lais yn fy ngalw fi'n 'cochan fach swnan Taid' (ia, gwallt coch oedd gen i pan oeddwn i'n ifanc!). Yn ôl yr oes,

teyrnas fy nain oedd y gegin ond bob nos Sadwrn mi fyddai Taid yn darparu llysiau at ginio dydd Sul a fo fyddai'n golchi'r llestri cinio Sul. Mi fyddai o mor awyddus i orffen y job fel y byddai wedi mynd â'ch powlen bwdin tra oedd eich cegiad ola ar y ffordd i'ch ceg! Roedd o'n hoff iawn o bwdin reis Nain ac mi fyddwn i ac ynta'n cwffio dros y croen. Roedd Taid hefyd yn hoff o fara brith wedi'i ffrio mewn menyn. Dwi erioed wedi gweld neb arall yn gwneud ffasiwn beth ond mae o'n flasus – digon tebyg i bwdin Dolig ond heb y drafferth sy'n dod efo gwneud hwnnw. Er cof amdano fo, dwi'n cynnwys y rysáit yma, er mai dweud y drefn fasa Taid mod i'n ei weini efo menyn brandi gan ei fod yn llwyrymwrthodwr ac yn gapelwr brwd.

Cynhwysion

sleisys o fara brith

menyn i ffrio

yr un faint o fenyn
  dihalen a siwgr eisin

brandi at eich dant

Dull

- Cymysgwch y menyn a'r eisin yn dda ac ychwanegwch frandi ato fesul llwyaid nes cewch chi flas sy'n eich plesio.

- Toddwch y menyn yn y badell a ffriwch y bara brith gan ei droi drosodd unwaith.

- I'w weini, ychwanegwch lwmp o'r menyn ar ei ben.

PWDIN BANANA BEN I WAERED

Pan fyddai'r plant yn fach, fydden nhw ddim yn codi oddi wrth y bwrdd bwyd heb gael pwdin – ffrwyth neu iogwrt fel arfer. Ond yn yr hydref a'r gaeaf roedd angen rhywbeth ychydig mwy swmpus, rhywbeth cynhesol. Be well na phwdin sbwnj a chwstard cynnes? Gallwch roi unrhyw ffrwyth yng ngwaelod hwn ond dwi wedi defnyddio bananas gan mod i'n hoff o flas bananas poeth. Mae'n fy atgoffa o'r tro cynta 'nes i flasu banana poeth – yn y Chinese restaurant ar dop Stryd y Llyn, Caernarfon, 'nôl yn niwedd y saithdegau a finna'n llances yn fy arddegau yn meddwl mod i tu hwnt o soffistigedig yn mynd allan am bryd o fwyd efo ffrindia heb fy rhieni. I bwdin roedd dewis o pineapple neu banana fritter. Banana i mi bob tro – yn gorwedd mewn pwll o surop melyn.

Cynhwysion

2 fanana mawr neu
  3 banana bach

2 lwyaid o *maple syrup* /
  surop melyn neu fêl

125g siwgr brown

125g menyn wedi
  meddalu ychydig

125g blawd codi brown

2 wy wedi'u curo

2 lond llwy fwrdd o lefrith

Dull

- Cynheswch y popty i 180°C / ffan 160°C / nwy 4.
- Irwch ddysgl (maint tua 23cm) sy'n addas i fynd i'r popty gan ddefnyddio menyn.
- Curwch y siwgr a'r menyn yn dda.
- Ychwanegwch yr wyau a'r llefrith fesul ychydig.
- Trowch y blawd i'r gymysgedd.
- Torrwch y bananas yn gylchoedd a'u rhoi ar waelod y ddysgl.
- Diferwch y surop drostynt. (Y ffordd hawddaf o wneud hyn ydi defnyddio surop sy'n dod mewn potel blastig a'i wasgu dros y bananas).
- Tywalltwch y gymysgedd sbwnj dros y bananas.
- Pobwch am oddeutu 30–40 munud nes bod sgiwer yn dod allan yn lân o'i roi yn ei ganol.
- Mwynhewch gyda digonedd o gwstard, neu beth am hufen iâ?

POBI

CACEN GOFFI MAM

Pan o'n i'n ddigon hen i fedru cyrraedd y bwrdd roedd yn rhaid i mi helpu yng nghaffi fy mam, ond am ryw reswm doedd fy mrawd, sydd dair blynedd a hanner yn fengach na fi, ddim yn gorfod gwneud hynny. Ond tydw i ddim yn cwyno, achos mi ddysgais sgiliau coginio yn fuan ac yn arbennig sut i wneud cacen. Un dda oedd Mam am wneud cacen sbwnj. Sbwnj Victoria efo buttercream, cacen siocled a chacen goffi oedd y tri math fyddai hi'n ei wneud yn rheolaidd. Dwi'n cofio, aml i dro, i gwsmer brynu sleisan i'w chael efo'u paned ac wedyn yn prynu gweddill y gacen I fynd adra efo nhw. Dyma rysáit y gacen goffi. Hon ydi hoff gacen Peris, fy ail fab, a hon mae o isio ar ei ben-blwydd bob blwyddyn. Gan ei fod o'n bobydd proffesiynol, mae'n plesio'i fam pan mae'n gofyn am hon!

Cynhwysion

225g siwgr brown mân

225g menyn wedi'i feddalu

225g blawd codi wedi'i hidlo

4 wy mawr

2 lond llwy de o Camp Coffee Essence (neu ddwy lwyaid dda o bowdwr coffi mân wedi'i doddi mewn ychydig o ddŵr poeth)

ceirios (a/neu gnau i addurno)

Llenwad

225g siwgr eisin

100g menyn

2 lond llwy de o Camp Coffee Essence (neu ddwy lwyaid dda o bowdŵr coffi mân wedi'i doddi mewn ychydig o ddŵr poeth)

Dull

- Cynheswch y popty i 180°C / ffan 160°C / nwy 4.
- Irwch 2 dun teisen 20cm × 4.5cm a rhoi papur pobi ar y gwaelod.
- Gan ddefnyddio cymysgydd trydan cymysgwch y cynhwysion i gyd, heblaw'r coffi, yn dda.
- Ychwanegwch y coffi a'i gymysgu'n dda.
- Rhannwch y gymysgedd rhwng y ddau dun.
- Pobwch am oddeutu 20–25 munud nes bod y gacen yn dechrau llacio o'r ochrau, ac os rhowch sgiwer yn ei chanol, y daw allan yn lân.
- Gadewch i'r cacennau oeri am bum munud cyn eu troi allan ar rac weiren i oeri'n llwyr.
- I wneud yr eisin, meddalwch y menyn mewn microdon nes ei fod o bron wedi cyrraedd y pwynt lle mae'n troi'n hylif.
- Ychwanegwch y siwgr eisin a'i gymysgu'n dda.
- Rhowch hanner yr eisin yn y canol rhwng y ddwy deisen a'r hanner arall ar ben y deisen uchaf.
- Addurnwch â cheirios a/neu gnau.

CACEN BANANA A THAFFI

Mae yna dorth fanana ac yna mae yna gacen fanana! Mae hon ar gyfer y dyddia yna pan dach chi angen trît bach. Mi fedrwch chi wneud eich dulce de leche *eich hun drwy ferwi tun o laeth wedi cyddwyso (*condensed milk*), ond pam trafferthu pan fedrwch chi ei brynu fo wedi'i wneud yn barod!*

Cynhwysion

225g siwgr brown mân

225g menyn wedi'i feddalu

225g blawd codi wedi'i hidlo

1 llwy de o bowdwr pobi

4 wy

2 fanana aeddfed, gorau oll os ydi'r croen wedi dechrau duo

Llenwad

2 fanana wedi'u sleisio a'u trochi mewn sudd lemwn

300ml hufen dwbwl wedi'i chwipio

Tun o *dulce de leche* / caramel (fyddwch chi ddim angen y tun cyfan os nad oes ganddoch hi ddant melys iawn!)

Dull

- Cynheswch y popty i 190°C / ffan 170°C / nwy 5.
- Irwch 2 dun teisen 20cm a rhoi papur pobi ar y gwaelod.
- Gan ddefnyddio cymysgydd trydan, cymysgwch y cynhwysion i gyd, heblaw'r bananas, yn dda.
- Stwnshiwch ddau fanana efo fforc a'u rhoi yn y gymysgedd.
- Rhannwch y gymysgedd rhwng y ddau dun.
- Pobwch am oddeutu 20–25 munud nes bod y cacennau'n dechrau llacio o'r ochrau ac os rhowch sgiwer yn eu canol, y daw allan yn lân.
- Gadewch i'r cacennau oeri yn y tuniau am ychydig cyn eu troi allan.
- Chwipiwch yr hufen. Os ydych yn defnyddio chwisg trydan, arafwch y peiriant cyn gynted ag y mae'r hufen yn dechrau tewychu rhag i chi ei or-chwisgio.
- Taenwch hanner yr hufen dros un gacen.
- Gwagiwch y *dulce de leche* i fowlen a'i guro efo fforc i'w lacio ychydig.
- Troellwch ei hanner dros yr hufen.
- Rhowch y sleisys banana dros y cwbwl.
- Rhowch y gacen arall ar ben y llall.
- Rhowch weddill yr hufen ar dop y gacen.
- Troellwch weddill y *dulce du leche* dros yr hufen.

MOCHA CHOCA CHERRY CAKE

Dwi'n credu mewn cael cacen at bob achlysur – i ddiolch, i gysuro, i ddathlu, ac yn arbennig i ddathlu pen-blwydd. Dwi wedi gwneud degau ar ddegau o gacennau pen-blwydd dros y blynyddoedd. Mi wnes i hon ar gyfer pen-blwydd Leri, y ferch, pan oedd hi'n methu penderfynu oedd hi am gacen goffi neu Black Forest gateau. Felly, dyma gyfuno'r ddwy a'i galw'n Mocha Choca Cherry Cake. (Tydi cyfieithu hwn jest ddim yn gweithio!)

Cynhwysion

225g siwgr brown mân

225g menyn wedi'i feddalu

200g blawd codi wedi'i hidlo

2 lond llwy fwrdd o bowdwr coca

1 llond llwy de o bowdwr pobi

4 wy

Llenwad

300ml hufen dwbwl wedi'i chwipio

2 lond llwy de o bowdwr coffi mân wedi'i doddi mewn llwyaid o ddŵr poeth

1 llwy fwrdd o siwgr eisin

250g ceirios ffres neu dun/jar o geirios heb gerrig

4 llond llwy fwrdd o *kirsch* (neu *liqueur* ceirios arall)

ychydig o siocled du wedi'i gratio – i addurno

Dull

- Cynheswch y popty i 180°C / ffan 160°C / nwy 4.
- Irwch 2 dun teisen 20cm × 4.5cm a rhoi papur pobi ar y gwaelod.
- Gan ddefnyddio cymysgydd trydan, cymysgwch y cynhwysion y gacen i gyd.
- Rhannwch y gymysgedd rhwng y ddau dun.
- Pobwch am oddeutu 20–25 munud nes bod y cacennau'n dechrau llacio o'r ochrau ac os rhowch sgiwer yn eu canol, y daw allan yn lân.
- Gadewch i'r cacennau oeri yn y tuniau am ychydig cyn eu troi allan.
- Tywalltwch ddwy lwyaid o *kirsch* dros bob cacen.
- Chwipiwch yr hufen. Os ydych yn defnyddio chwisg trydan, arafwch y peiriant cyn gynted ag y mae'r hufen yn dechrau tewychu rhag i chi ei or-chwisgio.
- Ychwanegwch y coffi (wedi iddo oeri) a'r siwgr eisin.
- Taenwch draean yr hufen dros un gacen.
- Rhowch y ceirios dros yr hufen gan gadw rhywfaint ar gyfer addurno.
- Rhowch y gacen arall ar ben y llall.
- Taenwch draean arall o'r hufen dros y gacen.
- Rhowch weddill yr hufen mewn bag peipio a pheipio rhosynnau o amgylch ochrau'r gacen.
- Rhowch geiriosen ar dop pob rhosyn hufen.
- Ysgeintiwch y siocled wedi'i gratio dros y canol.

CACEN LEIM A CHOCONYT

Mae'r gacen yma'n gneud i mi feddwl am yr haf – dwi'm yn siŵr pam! Ond mi fydda i'n licio'i gneud hi ar ddiwrnod llwm yn y gaeaf i ddod â chydig o heulwen i'r tŷ.

Cynhwysion

6 owns siwgr mân

6 owns menyn wedi'i feddalu

6 owns blawd codi wedi'i hidlo

3 wy

1.5 owns coconyt mân

sudd a chroen 2 leim

Llenwad

7 owns siwgr eisin

4 owns menyn

70g caws meddal – braster llawn

croen a sudd 2 leim

Dull

- Cynheswch y popty i 180˚C / ffan 160˚C / nwy 4.
- Irwch 2 dun teisen 18cm a rhoi papur pobi ar y gwaelod.
- Gan ddefnyddio cymysgydd trydan, cymysgwch y cynhwysion i gyd, heblaw'r sudd a'r croen leim, yn dda.
- Ychwanegwch groen a sudd y 2 leim a'u cymysgu gan ddefnyddio llwy fwrdd.
- Rhannwch y gymysgedd rhwng y ddau dun.
- Pobwch am oddeutu 20–25 munud nes bod y cacennau'n dechrau llacio o'r ochrau ac os rhowch sgiwer yn eu canol, y daw allan yn lân.
- Gadewch i'r cacennau oeri yn y tuniau am ychydig cyn eu troi allan.
- Cymysgwch y menyn, y siwgr eisin a'r sudd leim yn dda cyn ychwanegu'r caws meddal yn ofalus (peidiwch â chymysgu gormod neu mi fydd y caws yn dyfrio ac ni fydd modd ei dewychu wedyn!)
- Taenwch hanner y llenwad dros un gacen.
- Rhowch y gacen arall ar ben y llall.
- Rhowch weddill y llenwad ar dop y gacen.
- Gallwch addurno â sleisys o leim, croen leim neu/a darnau o goconyt wedi'u siafio.

TORTH LEIM A CHOCONYT

Dwi'n hoff iawn o goconyt a leim, felly dyma i chi'r ail gacen goconyt a leim! Mae hon ar siâp torth ac yn cynnwys iogwrt, sy'n helpu i nadu'r gacen rhag bod yn rhy sych. Gan ei bod hi'n cynnwys olew blodyn yr haul yn lle menyn, mi fedrwch ei gwneud yn ddi-laeth drwy ddefnyddio iogwrt figan. Mi fyddai hyn yn ei gwneud hi'n addas i'r rhai sydd, fel fy merch, yn methu bwyta cynnyrch llaeth.

Cynhwysion

3 wy

4 owns a hanner (owns hylifol) olew blodyn yr haul

125g iogwrt coconyt

6 owns siwgr mân

6 owns blawd codi

3 llwy de o bowdwr pobi

2 owns coconyt mân (*dessicated coconut*)

3 leim

llond llwy fwrdd siwgr mân

2 lwy fwrdd o siwgr eisin

Dull

- Cynheswch y popty i 180°C / ffan 160°C / nwy 4.
- Irwch a leiniwch dun torth.
- Mewn powlen fawr cymysgwch yr wyau, yr olew, yr iogwrt a sudd un leim.
- Ychwanegwch y siwgr, blawd, coconyt, croen (*zest*) un leim a'u cymysgu'n dda.
- Tywalltwch y gymysgedd i'r tun a'i phobi nes bod sgiwer yn dod allan yn lân o'i roi yng nghanol y gacen – tua 40 munud.
- Mewn sosban, toddwch lond llwy fwrdd o siwgr mân mewn sudd o'r ail leim.
- Tra mae'r gacen yn boeth gwnewch dyllau hyd-ddi â sgiwer a thywallt y sudd leim drosti.
- Gadewch iddi oeri yn y tun.
- Cymysgwch sudd y trydydd leim efo siwgr eisin a'i dywallt dros y gacen.

CACEN FORON AG EISIN CAWS AC OREN

Dwi 'di gneud amryw o gacennau moron dros y blynyddoedd ac wedi setlo ar hon fel fy hoff rysáit. Mae'n defnyddio olew blodyn yr haul, felly mae'n addas ar gyfer rhai sydd ar ddeiet di-laeth. Os felly, gwnewch eisin efo siwgr eisin a sudd oren yn hytrach na chaws meddal – neu mae modd cael caws meddal heb lactos.

Cynhwysion

6 owns siwgr meddal brown

3 wy mawr

175ml olew blodyn yr haul

5 owns o foron wedi'u gratio

croen 1 oren

dyrnaid o swltanas (neu resins neu gymysgedd o'r ddau)

dyrnaid o gnau wedi'u malu'n ddarnau (cnau Ffrengig ydi fy ffefryn i)

6 owns blawd codi

1 llwy de soda pobi (*bicarbonate of soda*)

un llwy de o sbeis cymysg

Eisin

1 owns a hanner o fenyn

2 owns a hanner o siwgr eisin

pot bach o gaws meddal (yr un braster llawn)

sudd 1 oren

Dull

- Cynheswch y popty i 180°C / ffan 160°C / nwy 4, irwch dun sgwâr 20cm a rhoi sgwaryn o bapur pobi yn ei waelod.
- Cymysgwch y siwgr, yr wyau a'r olew mewn powlen fawr.
- Ychwanegwch y moron, y ffrwythau, y croen oren a'r cnau.
- Hidlwch y blawd efo'r soda pobi a'i sbeis a'i droi i'r gymysgedd.
- Rhowch y gymysgedd yn y tun (bydd yn reit wlyb).
- Pobwch am tua 40–45 munud nes bod sgiwer yn dod allan yn lân, o'i wthio i ganol y gacen, neu rhowch eich clust yn agos at y gacen (peidiwch â chodi'r tun at eich clust rhag ofn i chi losgi eich boch, fel y gwnes i!). Os clywch chi sŵn hisian, mae mwy o waith coginio ar y gacen.
- Gadewch i'r gacen oeri.
- I wneud yr eisin cymysgwch y menyn, y sudd oren a'r siwgr eisin yn dda.
- Ychwanegwch y caws meddal yn ofalus. Os gwnewch chi orweithio'r gymysgedd, bydd yr eisin yn ddyfrllyd a fydd dim fedrwch ei wneud i'w achub, dim ots faint mwy o siwgr eisin rowch chi i mewn ynddo. Coeliwch fi, dwi wedi trio!
- Taenwch yr eisin dros y gacen.
- Gallwch addurno â chnau Ffrengig os mynnwch.

CACEN OREN
A CHNAU PISTASIO

Mae'r cnau pistasio yn rhoi lliw, blas a texture hyfryd i hon. Er, rhaid i mi gyfadda, i wneud iddi edrych ychydig yn fwy gwyrdd, mi fydda i'n rhoi dropyn o liw gwyrdd yn y gymysgedd. Dwi wedi'i llenwi efo eisin menyn blas oren a cheuled oren (orange curd), oherwydd dwi'n meddwl fod blas yr oren a'r pistasio'n mynd yn hyfryd efo'i gilydd. Os nad oes ganddoch chi'r amynedd i wneud ceuled, mae'n ddigon blasus efo jest yr eisin menyn.

Cynhwysion

200g siwgr mân

200g menyn

4 wy

150g blawd codi (wedi'i hidlo)

1 llwy de o bowdwr pobi

100g cnau pistasio wedi'u malu'n fân fân, un ai mewn pestl a morter neu mewn prosesydd bach

2 lwy fwrdd o lefrith

Ceuled oren

2 felynwy mawr

croen (ddim y *pith* melyn) a sudd 1 oren mawr

75g siwgr mân

20g menyn wedi'i dorri'n ddarnau bach

Eisin

125g menyn

250g siwgr eisin

sudd a chroen 1 oren

Dull

Gwnewch y ceuled oren

- Mewn sosban, chwisgiwch yr wy a'r siwgr i'w cymysgu'n dda.
- Ychwanegwch y sudd a'r croen oren.
- Rhowch y sosban ar wres cymedrol, a gyda llwy bren trowch y gymysgedd nes ei bod wedi tewychu ddigon i aros ar gefn y llwy.
- Tynnwch y sosban oddi ar y gwres, ychwanegwch y menyn fesul darn bach a'i gymysgu'n dda nes bod ganddoch geuled trwchus.
- Gadewch i oeri.

Cacen
Dull

- Cynheswch y popty i 180°C / ffan 160°C / nwy 4°C (neu pa wres bynnag sy'n gweddu orau i gacen sbwng yn eich popty chi).
- Irwch 2 dun cacen sbwng maint 20cm, a rhoi cylch o bapur pobi yn eu gwaelod.
- Cymysgwch y siwgr, y menyn, yr wyau, y blawd a'r powdwr pobi gan ddefnyddio cymysgydd trydan.
- Ychwanegwch y cnau a'r llefrith a'u cymysgu'n dda.
- Rhannwch y gymysgedd rhwng y ddau dun a'u pobi am oddeutu 18–20 munud nes bod y cacennau'n dechrau llacio o'r ochrau a bod sgiwer yn dod allan ohonyn nhw'n lân.
- Gadewch i'r cacennau oeri am ychydig cyn eu tynnu allan o'r tuniau.
- I wneud yr eisin, cymysgwch y siwgr eisin, croen yr oren wedi'i gratio (gan ofalu peidio â chael y *pith* melyn neu mi fydd blas chwerw arno) i wneud eisin meddal.
- Rhowch yr eisin dros un gacen a'r ceuled oren dros y llall, a rhowch y ddau hanner ar ben ei gilydd.

CACEN POLENTA, ALMONAU AC OREN

Mae'n debyg fod mwy a mwy o bobl yn methu goddef bwyta gwenith y dyddia 'ma, ac mae'r rheswm pam yn dipyn o ddirgelwch. Dwi wedi arbrofi llawer efo ryseitiau cacennau diglwten, a dyma i chi un sydd i'w gweld yn plesio pawb. Er ei bod yn edrych yn reit blaen, mae blas cyfoethog iddi.

Cynhwysion

225g menyn wedi'i feddalu ychydig

225g siwgr mân

200g almonau mâl

100g polenta

1 llond llwy de o bowdwr pobi (un diglwten os ydych am wneud hon yn ddiglwten)

3 wy mawr

2 lwy fwrdd o iogwrt Groegaidd

2 oren mawr

1 llond llwy fawr o siwgr mân

crème fraîche i'w weini

Dull

- Irwch a leiniwch dun cacen *spring form* 20cm o faint.
- Cynheswch y popty i 190°C / ffan 170°C / nwy 7.
- Curwch y menyn a'r 225g siwgr gyda'i gilydd yn dda nes eu bod wedi gwynnu ac ysgafnu.
- Curwch yr wyau a'r iogwrt gyda'i gilydd ac yna eu troi i mewn i'r gymysgedd.
- Ychwanegwch yr almonau, y polenta a'r powdwr pobi, croen un oren wedi'i gratio (heb y *pith* melyn sy'n chwerw) a sudd hanner oren, a'u cymysgu'n dda ond yn ysgafn.
- Rhowch y gymysgedd yn y tun a'i phobi am 45–50 munud neu nes bod sgiwer, o'i roi yn y canol, yn dod allan yn lân a bod y gacen wedi setio. (Bydd angen i chi roi darn o ffoil neu bapur pobi dros y gacen hanner ffordd drwodd i'w hatal rhag crasu gormod.)
- Tra bydd y gacen yn pobi, tynnwch stribedi o groen oddi ar yr ail oren gan ddefnyddio *zester*.
- Rhowch y croen mewn ychydig o ddŵr mewn sosban fach a'i godi i'r berw.
- Berwch am ddau funud ac yna tywallt y dŵr i ffwrdd (mi fydd hyn yn nadu'r croen rhag mynd yn chwerw).
- Rhowch ddŵr dros yr oren eto ac ychwanegu'r llwyaid fawr o siwgr mân. Codwch i'r berw a'i ferwi am tua 10 munud nes bod y siwgr wedi toddi a'r surop wedi lleihau.
- Taenwch ychydig o siwgr mân ar blât neu ar ddarn o bapur pobi/cegin.

- Tynnwch y darnau croen oren o'r surop a'u rholio yn y siwgr mân nes eu bod wedi'u gorchuddio ynddo. Tywalltwch y surop dros y gacen.

- Gadewch y gacen yn y tun i oeri am ychydig cyn rhedeg cyllell rownd yr ochrau i lacio'r gacen o'r tun a'i thynnu allan.

- Gwasgarwch y croen dros y gacen.

- Gallwch ei bwyta'n gynnes neu'n oer gyda *crème fraîche* neu â hufen ag ychydig o ffrwythau ar yr ochr.

BARA BRITH MAM ANDREW

Dywedwch wrth rywun eich bod chi am neud bara brith ac yn aml mi gewch wybod mai bara brith eu mam neu eu nain nhw ydi'r bara brith gora erioed. Mae rhai'n dadlau mai'r bara brith iawn ydi'r un sydd wedi'i wneud efo burum, eraill yn taeru y dylid berwi'r cynnwys, neu fwydo'r ffrwythau mewn te oer. Weithia mi wnân nhw rannu'r rysáit efo chi ond mae rhai'n cadw eu rysáit yn gyfrinach. Dwi am fod yn onest efo chi rŵan – tydw i mond wedi dechra licio bara brith yn y blynyddoedd dwytha 'ma ac er bod Mam a Nain yn dda am neud peth, nes i erioed ofyn am eu rysáit.

Dwi'n cofio pan o'n i yn fy ugeiniau cynnar yn yr wythdegau ac yn gweithio i Gwmni Theatr Brith Gof, mi fues i'n teithio Cymru un hydref efo Lis Hughes Jones, oedd yn perfformio cynhyrchiad am yr emynyddes enwog Ann Griffiths. Roedd y rhan fwya o'r perfformiadau mewn festri capeli, ac yn ddieithriad mi fyddai merched y capel wedi darparu te bach i ni. Bron yn ddieithriad, hefyd, y te hwnnw oedd brechdanau ham a bara brith. Llysieuwraig oedd Lis ac ar y pryd roedd yn gas gen i fara brith. Felly, yn lle ymddangos yn anniolchgar a rhag pechu neb, mi fyddwn i'n bwyta'r brechdanau ham i gyd a Lis y bara brith!

Ches i erioed y fraint o adnabod mam Andrew gan iddi farw cyn i mi ei gyfarfod, ond mi ges glywed am ei bara brith – y gora erioed! Ac er i mi neud bara brith iddo fo a'i dad, doedd o byth cystal ag un ei fam. Hynny yw nes iddo, wrth glirio'r tŷ ar ôl colli ei dad, ddod o hyd i ddarn o bapur efo'r teitl Y Bara Brith ac arno'r rysáit. A wir i chi, mae hi'n un hyfryd. Dwi wedi cael ei ganiatâd i'w rhannu efo chi yma.

Digon i wneud 2 dorth

Cynhwysion

4 cwpanaid o ffrwythau cymysg (1 pwys)

2 gwpanaid o siwgr (8 owns)

1 peint o lefrith

1 llwy de o soda pobi

2 lwy de o sbeis cymysg

pinsiad o halen

3 cwpanaid o flawd codi (1 pwys)

Dull

- Rhowch bopeth heblaw'r blawd mewn sosban fawr a'i godi i'r berw.

- Berwch y cyfan am 5 munud.

- Tynnwch y sosban oddi ar y gwres a gadewch i'r gymysgedd oeri cyn ychwanegu'r blawd.

- Tywalltwch y gymysgedd i ddau dun torth wedi'u hiro. (Mi fydda i'n defnyddio cesys papur arbennig ar gyfer leinio tuniau torth).

- Pobwch ar wres 140–150°C am oddeutu awr a hanner i ddwy awr neu nes bod sgiwer, o'i wthio i ganol y gacen, yn dod allan yn lân.

- Ffordd arall o ddweud a yw'r dorth yn barod ydi rhoi eich clust yn agos ati: os clywch synau hisian, yna rhowch hi'n ôl yn y popty am ychydig hirach.

Mae meddwl am fara brith yn dod ag un atgof arall i'm meddwl. Yn 1989 roeddwn i'n ffilmio cyfres Tydi Bywyd yn Boen *ar gyfer S4C, yn chwarae rhan athrawes goginio, fel mae'n digwydd, sef Cadi Cwc, athrawes amhoblogaidd efo disgyblion yr ysgol. Roedd yna un olygfa lle roedd un o'r disgyblion yn breuddwydio'i bod wedi gwenwyno Cadi Cwc drwy roi baw defaid yn ei bara brith yn lle cyrens. Cefais fy ffilmio'n cael fy nghario i ambiwlans efo baw defaid wedi'i ludo rownd fy ngheg a'r dynion ambiwlans efo peg ar eu trwynau! Peidiwch â phoeni, ddim baw defaid go iawn oedd o – ond licris!*

TEISEN DOLIG

Un elfen o goginio dwi'n ei mwynhau ydi'r arogleuon hyfryd fydd yn llenwi'r gegin. Dyma i chi un rysáit sy'n llenwi'r gegin efo ogleuon cyfoethog: sbeisys, clofs, brandi, siwgr brown, oren – arogleuon y Nadolig. Dim ond adeg y Nadolig dwi'n dod ar draws teisen ffrwythau erbyn hyn, a'r arfer o'i gwneud fel cacen ar gyfer achlysuron arbennig wedi araf ddiflannu. Anaml gewch chi gacen ffrwythau mewn priodas hyd yn oed erbyn hyn, sy'n biti mawr yn fy marn i. Ers talwm, yr arfer fyddai tynnu'r eisin oddi ar haen uchaf y gacen briodas a'i chadw at fedydd y plentyn cyntaf. Go brin y basach chi'n medru gneud hynny efo cacen shwnj!

Dwi wedi arbrofi efo gwahanol ryseitiau dros y blynyddoedd, gan gynnwys rhoi siocled yn y deisen un flwyddyn – dim ond unwaith 'nes i hynny! Dwi wedi setlo ar hon erbyn hyn. Gwnewch hi o leiaf fis ymlaen llaw i'r blas gael aeddfedu ac o'i chadw'n iawn, a diolch i'r alcohol, mi gadwith am hir iawn. Tydi hi ddim yn para'n hir yn tŷ ni chwaith!

Cynhwysion

1kg o ffrwythau sych cymysg o'ch dewis, e.e. swltanas, resins, cyrens, llugaeron (cranberries), ceirios, candi pîl (candied peel) (mae'r rhain yn amrywio gen i bob blwyddyn)

1 oren mawr, a'i groen wedi'i gratio

150ml o wirod – brandi, chwisgi, rym neu amareto (mae hwn yn newid gen i bob blwyddyn hefyd)

250g menyn wedi'i feddalu

200g siwgr brown tywyll

200g blawd plaen

1/2 llwy de o bowdwr pobi

100g almonau mân (flaked almonds)

2 lwy de o bowdwr sbeis cymysg

1/4 llwy de o bowdwr clofs

4 wy

mwy o frandi (neu alcohol arall i fwydo'r gacen)

I addurno

2 lond llwy fawr o jam bricyll (apricot)

400g marsipán (gallwch gael peth wedi'i rolio'n barod)

Un ai 450g o eisin ffondant wedi'i rolio'n barod neu flocyn o eisin ffondant – neu gwnewch eisin brenhinol (royal icing) gan ddefnyddio bocsiad o eisin arbennig

Addurniadau o'ch dewis

Dull

- Rhowch y ffrwythau sych, croen a sudd 1 oren a'r brandi (neu alcohol arall) mewn powlen i fwydo dros nos.

- Y diwrnod wedyn, cynheswch y popty i 150°C / ffan 130°C / nwy 2.

- Leiniwch dun cacen 20cm dwfn â haen ddwbl o bapur pobi, yna lapiwch haen ddwbl o bapur pobi o amgylch y tu allan. Gofalwch ei fod yn uwch na'r tun o ryw 6cm rhag i'r deisen grasu gormod. Clymwch â llinyn i'w gadw yn ei le.

- Curwch y menyn a'r siwgr brown yn dda.

- Ychwanegwch yr wyau fesul un gan eu curo'n dda.

- Ychwanegwch y ffrwythau a'u cymysgu'n dda.

- Ychwanegwch y blawd, y powdwr pobi, y cnau a'r sbeisys, a'u troi i'r gymysgedd.

- Rhowch y gymysgedd yn y tun pobi.

- Taenwch sbatwla dros y deisen i'w lefelu, ac yna gwnewch bant bach yn y canol (rhag i'r deisen gromennu).
- Pobwch am ryw ddwy awr i ddwy awr a hanner, yn dibynnu ar eich popty. I weld ydi hi'n barod, rhowch eich clust yn agos ati (gwyliwch losgi!). Os oes sŵn hisian, mae hi angen mwy o amser coginio.
- Tynnwch y gacen o'r popty, prociwch dyllau ynddi â sgiwer a rhoi 2 lond llwy fawr o alcohol o'ch dewis chi drosti.
- Gadewch y gacen i oeri'n llwyr yn y tun.
- Wedi iddi oeri, tynnwch y papur pobi a'i lapio'n dda mewn mwy o bapur pobi a'i rhoi mewn tun teisen.
- Tynnwch hi allan a'i bwydo efo mwy o alcohol unwaith yr wythnos.
- O leiaf wythnos cyn y Nadolig, tynnwch y deisen o'r tun a'i dadlapio.
- Rhowch y jam bricyll mewn sosban i doddi gyda llwyaid fawr o ddŵr.
- Gwthiwch drwy ridyll i gael gwared o unrhyw lympiau.
- Gadewch i'r jam oeri fymryn ac yna'i frwsio dros y gacen – mi fydd yn gweithio fel glud i ddal y marsipán yn ei le.
- Rhowch y marsipán dros y deisen a'i dorri i ffitio.
- Gadewch i'r marsipán sychu am ddeuddydd neu dri cyn rhoi eisin drosto.

CACENNAU BACH
LEMWN A SINSIR

Bob dydd Sadwrn pan o'n i'n blentyn, o oed ifanc iawn, mi fyddwn i'n mynd i dŷ Nain a Taid yng Nghaernarfon, saith milltir o bentref Llanberis, lle roedden ni'n byw. Mae'n siŵr i hyn gychwyn pan ddechreuodd Mam redeg caffi – er mwyn iddi hi gael llonydd. Mi fyddai Mam yn fy rhoi ar y bws yn Llanberis a Taid yn dod i'r Maes, Caernarfon, i nghwfwr i. Mae'n anodd dychmygu y byddai neb yn gneud hyn heddiw! Roeddwn i wrth fy modd yn nhŷ Nain a Taid. Fi oedd eu hwyres gyntaf ac mae'n siŵr eu bod nhw'n fy sbwylio. Mi fyddai gan Nain fwy o amser na Mam i'm diddanu, ac un ffordd o wneud hynny oedd drwy adael i mi helpu yn y gegin. Nain ddysgodd fi sut i blicio tatws, a gan ei bod hi'n llaw chwith roeddwn i'n plicio fel roedd hi'n ei wneud. Dwi'n cofio un diwrnod, pan oeddwn i'n cael gwers goginio yn yr ysgol uwchradd ac yn plicio tatws i wneud pei tatws a chaws, mi waeddodd yr athrawes dros y dosbarth, 'Mae'n amlwg nad ydi Rhian erioed wedi plicio taten yn ei bywyd!' Gan fy mod wedi treulio'r haf cynt yn plicio sacheidiau o datws yng nghaffi Mam, doedd dim ymhellach oddi wrth y gwir! Ges i fy nhemtio i luchio'r daten ati neu ofyn iddi oedd hi isio ras plicio, ond feiddiwn i ddim!

Rysáit cacennau bach (butterfly cakes) Nain ydi hwn. Mi roedd siapio adenydd pilipala'n siŵr o fod yn fy nghadw'n ddistaw yn hirach na dim ond rhoi eisin ar ben y cacennau!

Cynhwysion

4 owns siwgr brown mân

4 owns menyn wedi'i feddalu

4 owns blawd codi wedi'i hidlo

2 wy wedi'u curo

2 lwy de o bowdwr sinsir

croen 1 lemwn wedi'i gratio

Eisin

4 owns siwgr eisin

2 owns menyn wedi'i feddalu

sudd hanner lemwn

Dull

- Cynheswch y popty i 180°C / ffan 160°C / nwy 4.
- Gosodwch gasynnau papur mewn tun teisennau bach.
- Gan ddefnyddio cymysgydd trydan, cymysgwch yr holl gynhwysion, heblaw'r croen lemwn, yn dda.
- Ychwanegwch y croen lemwn a chymysgwch yn dda.
- Rhannwch y gymysgedd rhwng y casynnau papur.
- Pobwch am oddeutu 12–15 munud nes bod y teisennau wedi coginio drwyddynt.
- Tynnwch nhw o'r tun a'u rhoi ar rac weiren i oeri.
- Gwnewch yr eisin drwy gymysgu'r siwgr eisin, y sudd lemwn a'r menyn.
- Wedi i'r teisennau oeri, torrwch gylch o dop pob teisen a thorri'r cylchoedd hynny'n ddau.
- Rhowch lwyaid o eisin i mewn i bob twll rydych chi wedi'i wneud yn y teisennau.
- Gosodwch y darnau sydd wedi'u torri allan fel adenydd pilipala ar ben y teisennau.
- Hidlwch ychydig o siwgr eisin drostynt.

SLEISYS BANANA A SIOCLED

A finnau mor hoff o goginio, does dim syndod fod fy mhlant wedi etifeddu'r un hoffter. Dwi'n falch iawn fod y pedwar yn coginio 'from scratch', a defnyddio'r term Saesneg, fel finnau. Yn wir mae Peris, fy ail fab, wedi mynd gam ymhellach; chef ydi o wrth ei ulwedigaeth, ac erbyn hyn mae'n rhedeg ei gwmni arlwyo ei hun. Dwi wedi'i berswadio i rannu un o'i ryseitiau yma: traybake, sy'n cymysgu dau flas poblogaidd – banana a siocled.

Cynhwysion

115g menyn dihalen

150g siwgr mân

2 wy

3 banana aeddfed (gorau oll os ydi'r croen wedi dechrau troi'n frown) wedi'u stwnshio

1 llwyaid o rinflas fanila (vanilla extract)

200g blawd plaen

1 llwy de o bowdwr pobi

150g milk choc chips

200g Nutella (neu bast siocled arall tebyg)

llond llaw o ddarnau banana wedi'u sychu

Dull

- Cynheswch y popty i 180°C / ffan 160°C / nwy 4.
- Irwch dun maint 23cm × 23cm (9" × 9").
- Gan ddefnyddio peiriant cymysgu, cymysgwch y menyn a'r siwgr yn dda nes bod y gymysgedd wedi gwynnu a thewychu.
- Ychwanegwch yr wyau fesul un.
- Ychwanegwch y blawd, y powdwr pobi, y choc chips, y fanila a'r bananas, a'u cymysgu'n ofalus gan ddefnyddio llwy fetel fawr.
- Rhowch y gymysgedd yn y tun.
- Pobwch am oddeutu 25 munud.
- Gadewch i'r gacen oeri yn y tun am tua chwarter awr cyn ei throi allan ar rac weiren i oeri'n llwyr.
- Cynheswch y Nutella mewn microdon am 20 eiliad cyn ei daenu dros y gacen.
- Torrwch y gacen yn sgwariau neu'n ddarnau petryal, a'u haddurno efo'r banana wedi'i sychu.

BROWNTIS

Os ydach chi wedi edrych drwy'r llyfr yma, mi fyddwch wedi deall erbyn hyn mod i'n ffan o goconyt, ac un o fy hoff fariau siocled ydi Bounty. Fy nheyrnged i iddo ydi'r rhain. Mae'r rysáit yma'n defnyddio blawd rhyg (rye), sy'n cynnwys llai o glwten a mwy o ffibr na blawd cyffredin. Serch hynny, fedra i ddim smalio fod y rhain yn dda i'ch iechyd, felly mae'n siŵr y basai'n well eu bwyta'n gymedrol!

Cynhwysion

200g siocled du

200g menyn

300g siwgr brown meddal

4 wy wedi'u curo

100g blawd rhyg (*rye*)

100 coconyt mân (*dessicated*)

1 llwy de o bowdwr pobi

Dull

- Cynheswch y popty i 180°C / ffan 160°C / nwy 4.
- Irwch dun sgwâr maint 21cm a rhoi haenen o bapur pobi ar ei waelod.
- Mewn sosban fawr toddwch y menyn, y siocled a'r siwgr dros wres cymedrol.
- Tynnwch y sosban oddi ar y gwres, ychwanegwch y wyau a'u cymysgu'n dda, heb eu gor-guro.
- Trowch y blawd, y coconyt a'r powdwr pobi i'r gymysgedd.
- Tywalltwch y cyfan i'r tun a'i daro'n ysgafn ar y bwrdd er mwyn i'r gymysgedd sadio.
- Pobwch am 40–45 munud. Os yw'r top yn dechrau crasu braidd gormod ar ôl 30 munud, rhowch haenen o bapur pobi drosto.
- Mae'n barod pan fydd y top yn galed ond rhywfaint o wlybaniaeth ar sgiwer o'i gwthio i ganol y gacen.
- Gadewch iddi oeri yn y tun am tua chwarter awr cyn ei thynnu allan, a gadewch iddi oeri'n llwyr cyn ei thorri'n sgwariau.

CACENNAU CRI
EFO JAM A HUFEN

Dyma i chi gacennau bach sydd yn sicr â blas mwy arnyn nhw. Pice ar y maen, Welsh cêcs, beth bynnag galwch chi nhw, mae'n anodd bwyta dim ond un. Sut fyddwch chi'n bwyta'ch rhai chi? Efo menyn? Heb? Wel, ambell waith mae hyd yn oed y peth mwya plaen yn haeddu ei wisgo i fyny, felly be am roi cynnig ar rywbeth gwahanol – cacen gri sy'n meddwl ei bod yn sgonsan!

Cynhwysion

250g blawd codi

100g siwgr

100g menyn

50g cyrens

1 wy wedi'i guro

ychydig o lefrith
   os oes angen

jam

hufen dwbwl wedi'i
   chwipio

Dull

- Mewn powlen, rhwbiwch y menyn i'r blawd nes ei fod yn edrych fel briwsion bara.

- Ychwanegwch y siwgr a'r cyrens a'u cymysgu'n dda.

- Tywalltwch yr wy i'r gymysgedd a dewch â fo at ei gilydd yn does efo'ch dwylo, gan ychwanegu ychydig o lefrith os oes rhaid.

- Taenwch ychydig o flawd ar y bwrdd a throi'r toes allan a'i dylino'n ysgafn cyn ei rolio allan i drwch o tua 1cm.

- Gyda thorrwr 3cm o ddiamedr torrwch y toes yn gylchoedd.

- Casglwch unrhyw does sydd dros ben at ei gilydd, rholio a thorri eto.

- Cynheswch radell neu badell ffrio drom.

- Sychwch y badell efo darn o bapur â menyn arno i'w hiro (gwyliwch rhag llosgi!)

- Rhowch y cacennau cri yn y badell a'u coginio am oddeutu 3 munud bob ochr.

- Ceisiwch beidio â'u troi'n rhy gynnar neu bydd y cacennau'n malu.

- Rhowch nhw ar blât wedi'u gorchuddio â siwgr mân.

- Wedi iddynt oeri, taenwch jam dros y cacennau a rhoi llwyaid o hufen ar ei ben.

- Gadewch nhw felly neu roi un ar ben y llall.

TEISENNAU BERFFRO

Ambell waith, yn ôl yn y saithdegau cynnar, pan fyddai Nhad yn mynd â ni am drip i Sir Fôn i weld ei fodryb, mi fyddan ni'n cael mynd am dro i Berffro, neu Aberffraw – a rhoi ei enw llawn iddo. Yno, mi fyddan ni'n hel cocos ac mi fyddai Nhad yn eu berwi mewn finegr ar ôl dod adra. Fedra i glywed yr ogla rŵan; doeddwn i ddim yn hoff o'r ogla a doeddwn i'n sicr ddim yn hoffi blas y cocos. A deud y gwir, dim ond Dad oedd yn eu bwyta yn tŷ ni. Dim rysáit cocos sydd gen i yma i chi ond rysáit bisgedi shortbread: *bisgedi sy'n draddodiadol i ardal Aberffraw ac sydd yn cael eu galw'n deisennau, er mai bisgedi ydyn nhw yn fy marn i. Yr arfer oedd eu gwasgu i gragen i greu siâp y gragen ond eu gwasgu i dun teisen mae'r rysáit yma.*

Addasiad o rysáit o fy hen lyfr lloffion ydi hwn a does gen i ddim cof gan bwy yn union y ces i o, mae arna i ofn, ond gan fy nain ges i amryw o'r ryseitiau. Mae'n defnyddio semolina, sy'n rhoi crensh ychwanegol i'r fisged. Maen nhw'n hawdd iawn i'w gwneud ac mae 'na rywbeth reit foddhaol yn y ffordd mae'r toes yn dod at ei gilydd dan wres eich llaw – fel chwara efo clai ers talwm!

16 darn

Cynhwysion

8 owns blawd codi

8 owns menyn yn syth o'r oergell

4 owns siwgr

4 owns semolina

Dull

- Cynheswch y popty i 170°C / ffan 150°C / nwy 3.
- Irwch 2 dun teisen bach, maint 18cm, a rhoi haenen o bapur pobi ar eu gwaelod.
- Hidlwch y blawd a'r semolina i fowlen fawr ac ychwanegwch y siwgr.
- Gratiwch y menyn i'r blawd a'i rwbio i'r gymysgedd efo'ch bysedd nes ei fod yn edrych yn debyg i friwsion bara.
- Dewch â'r gymysgedd at ei gilydd efo'ch dwylo nes ei bod yn ffurfio pelen lyfn.
- Torrwch y toes yn ddau ddarn a'u gwasgu i mewn i'r tuniau.
- Defnyddiwch gefn llwy fawr i'w gwasgu'n llyfn.
- Gwnewch dyllau bach dros y toes gyda fforc a marciwch bob cylch yn ysgafn yn 8 darn.
- Pobwch am oddeutu 40–45 munud nes bod y toes wedi coginio drwyddo ond yn dal yn lliw golau.
- Gadewch iddyn nhw oeri yn y tuniau am tua 10 munud cyn eu torri'n 8 darn i bob tun.
- Rhowch nhw ar rac weiren i oeri cyn taenu siwgr mân drostynt.

BISGEDI OREN AC ALMONAU

Yn 1989, pan o'n i yn fy ugeiniau, mi welis i daflen yn hysbysebu cystadleuaeth goginio yn fy archfarchnad leol. Roedd gofyn am ryseitiau pryd tri chwrs yn cynnwys cynnyrch o Gymru. Gan mod i, hyd yn oed bryd hynny, wrth fy modd yn creu ryseitiau, mi benderfynais gystadlu, yn enwedig gan fod cyfle i ennill microdon oedd hefyd yn gril – rhywbeth anghyffredin a drud iawn bryd hynny. Gan fod dyddiad cau'r gystadleuaeth yn agos mi wnes i beth braidd yn wirion, sef gwneud ryseitiau i fyny yn fy mhen heb eu triol Er hynny, mi es drwodd i'r ail rownd, lle roedd yn rhaid i mi fynd i Fangor i goginio'r pryd. Roedd yr enillydd yno yn mynd ymlaen i gynrychioli Gwynedd yn y ffeinal yng Nghaerdydd.

Dwi'n cofio'r pryd: penfras a phasta mewn saws cennin i ddechrau, wedyn cebábs cig oen efo reis ac, i orffen, meringue afal efo haenen o gaws ynddi. Roedd hon yn debyg i meringue lemwn ond efo purée afal yn lle'r lemwn a haenen o gaws wedi'i gratio dan y purée. O ble ges i'r syniad o roi caws ynddi, dyn a ŵyr, ond doedd o ddim wir yn gweithio. Ond, rywsut neu'i gilydd, mi enillais a mynd drwodd i'r ffeinal a gynhaliwyd yn yr Holiday Inn yng Nghaerdydd, lle roedd yn rhaid coginio o flaen cynulleidfa – a hynny yn y ballroom! Roedd pob cystadleuydd wedi cael dod â ffrind efo nhw fel cymhorthydd, a'r rheini'n gorfod cario llestri i lawr i'r gegin i'w golchi. Mi wnes i greu chydig o stŵr drwy losgi fy mraich ar y popty a gorfod cael eli llosg. Wnes i ddim ennill, ond mi ges i fy microdon gan mai dyna'r wobr am ennill yr ail rownd.

O gwmpas yr un adeg mi driais gystadleuaeth arall a welais mewn cylchgrawn merched: creu rysáit ar gyfer llyfr yr oedd y Dywysoges Diana yn ei hyrwyddo. Fit for a Princess oedd ei enw a'r elw ohono'n mynd at elusen i blant. Mi gafodd un o fy ryseitiau ei dewis, sef bisgedi sinsir a choconyt, er iddyn nhw gael eu hailenwi'n Caribbean Cookies ar gyfer y llyfr. Fel gwobr, mi ges i fynd i westy Claridge's yn Llundain am ginio arbennig, a hynny yng nghwmni selébs: actorion, yn cynnwys rhai o Coronation Street ac Eastenders, a chyflwynwyr teledu gan mwyaf. Dipyn o brofiad i actores ifanc o gefn gwlad Cymru. Dwi'm yn cofio i mi erioed fod mewn lle mor grand. Doeddwn i ddim yn cael mynd â neb efo fi, felly roedd yn rhaid gwneud y siwrna ar y trên o Fangor ben bora a dychwelyd gyda'r nos fy hun. Roedd honno'n antur ynddi'i hun! Roedd pawb yn glên iawn a'r bwyd yn fendigedig. Cig eidion oedd y prif bryd ond y cwrs cyntaf a'r pwdin adawodd argraff arna i. I ddechrau, fe gafon ni dri math o bysgodyn wedi'u plethu drwy ei gilydd a'r rheini wedi'u coginio'n berffaith. I bwdin, basged brandy snap yn llawn ffrwythau a hufen.

Roedd rysáit y Caribbean Cookies yn cynnwys coconyt, ond gan fod digon o ryseitiau â choconyt yn y llyfr yma yn barod dwi wedi addasu'r rysáit ac wedi defnyddio almonau mâl (ground almonds).

Cynhwysion

125g menyn

75g siwgr mân

125g blawd rhyg cyflawn
(neu flawd gwenith
cyflawn)

100g almonau mâl
(*ground almonds*)

croen 1 oren wedi'i gratio
(heb y *pith* melyn)

1 llwy de o sbeis cymysg

Dull

- Cynheswch y popty i 170°C / ffan 150°C / nwy 3.
- Rhowch y menyn a'r siwgr mewn powlen a'u curo nes eu bod yn ysgafn.
- Cymysgwch y blawd a'r almonau, y sbeis a'r croen oren i'r gymysgedd.
- Gan ddefnyddio'ch dwylo, dewch â phopeth at ei gilydd, gan ei wasgu'n belen lyfn o does.
- Torrwch ddarnau bach o does, eu rholio'n beli a'u rhoi ar dun pobi wedi'i iro, gan adael digon o le rhyngddynt.
- Fflatiwch bob bisged gyda fforc.
- Pobwch am oddeutu 20 munud, gan gymryd gofal rhag iddyn nhw grasu gormod.
- Gadewch iddyn nhw oeri cyn eu codi oddi ar y tun pobi.

MACARŴNS COFFI
A CHWISGI PENDERYN

Tydw i ddim wedi bod yn ffan mawr o facarŵns – roeddwn i'n eu gweld nhw'n betha reit sych a gorfelys – hynny yw, tan i mi drio gneud rhai fy hun. Ac, fel llawer peth arall, mae'r fersiwn cartra yn blasu'n llawer gwell na'r fersiwn siop. Mae'r ysbrydoliaeth am y blas yma wedi dod o fy hoffter o goffi Gwyddelig. Tydw i ddim yn un am yfed wisgi ond mae 'na rywbeth arbennig yn digwydd iddo fo pan ydach chi'n ychwanegu hufen.

Mae gwneud y rhain yn chydig o strach, felly gwell peidio â mentro'u gwneud nhw os nad oes ganddoch ddigon o amser i'w dreulio yn y gegin! Fel gyda phob un rysáit, cystal i chi ddarllen drwy'r rysáit i gyd cyn cychwyn arni.

Cynhwysion

175g siwgr eisin

125g almonau mâl (*ground almonds*)

2 lond llwy de o bowdwr coffi mâl (*fine ground*)

3 gwynnwy

75g siwgr mân

Llenwad

150g siwgr eisin

75g menyn wedi'i feddalu (ond heb doddi)

2 lond llwy fwrdd o chwisgi Penderyn

Dull

- Cynheswch y popty i 160˚C / ffan 140˚C / nwy 3.
- Gosodwch bapur pobi ar 2 dun pobi.
- Cymysgwch yr almonau, y siwgr eisin a'r powdwr coffi cyn eu hidlo i fowlen fawr.
- Chwisgiwch y gwynnwy mewn powlen arall nes ei fod yn sefyll yn bigau.
- Fesul llwyaid, ychwanegwch y siwgr mân gan ddal i chwisgio nes bod y gymysgedd yn sgleiniog a thrwchus.
- Ychwanegwch hanner y gymysgedd almonau a'i gymysgu'n dda.
- Ychwanegwch y gweddill a'i droi i mewn i'r gymysgedd gan wneud ffigwr wyth â sbatwla wrth wneud hynny. Codwch y sbatwla i fyny bob hyn a hyn, a phan mae'r gymysgedd yn llithro oddi arni fel rhuban sgleiniog, mae'n barod.
- Rhowch y gymysgedd mewn bag peipio efo nosl cylch plaen. (Os nad oes gennych chi un o'r rheini, yna rhowch y gymysgedd mewn bag plastig ar gyfer rhewi bwyd a thorri un gornel i ffwrdd.)
- Yn ofalus, peipiwch gylchoedd tua 3cm o faint ar y papur pobi gan adael digon o le rhyngddyn nhw achos mi fyddan nhw'n ymledu. Gallwch wneud cylchoedd efo pensil ar y papur i'ch helpu i'w cael yr un maint.
- Gadewch nhw am o leiaf hanner awr nes eich bod yn medru rhoi eich bys ar eu pen heb iddyn nhw lynu ynddo.
- Pobwch nhw am 15 munud. Maen nhw'n barod pan maen nhw'n gollwng eu gafael ar y papur wrth i chi eu codi.
- Tynnwch nhw allan a gadael iddyn nhw oeri tra ydych chi'n gwneud yr eisin drwy gymysgu'r siwgr eisin, y menyn a'r chwisgi yn dda.
- Pan fydd y macarŵns wedi oeri, trowch eu hanner nhw drosodd a pheipio'r eisin arnyn nhw. Gosodwch weddill y macarŵns ar eu pennau.

SGONS

Un o fy hoff wersi yn yr ysgol oedd coginio, neu economeg y cartref, fel roedd o'n cael ei alw ar y pryd. Er i mi gael A yn fy lefel O, ches i mo'i astudio i lefel A gan nad oedd o'n cael ei ystyried yn bwnc digon academaidd a finna â'm bryd ar fynd i brifysgol. Bechod na faswn i wedi cael ei wneud o – dwi'n siŵr y baswn i wedi gwneud yn well nag yn y pynciau 'nes i! Dwi'n cofio'r peth cynta i ni ei goginio, a finna yn fform 1J yn Ysgol Brynrefail, Llanrug, yn 1973: tost a drinking chocolate! Er, mi 'nes i fynnu gwneud Horlicks. Doedd Mrs Cissie Lloyd yr athrawes ddim yn or-hoff ohona i, ac wrth edrych yn ôl dwi'n medru deall pam. Yn un peth roeddwn i'n siarad gormod ac yn dueddol o beidio dilyn y drefn (doeddwn i ddim yn ddigon dewr i fod yn rebal go iawn!). Bob Dolig mi fyddai'r dosbarthiadau coginio yn gwneud cacen Dolig a'i haddurno, ac un amser cinio ar ddiwedd y tymor mi fyddai'r cacennau i gyd yn cael eu harddangos yn yr ystafell goginio a gweddill yr ysgol yn cael dod i'w gweld. Un flwyddyn, mi benderfynais i addurno fy nghacen efo eisin piws, a hwnnw'n biws tywyll, a pheipio seren wen fawr, flêr yn y canol. Roedd hi'n tynnu sylw fwy nag unrhyw un o'r lleill a doedd Mrs Lloyd ddim yn hapus efo fi. Mae fy ffrindia'n dal i sôn am y gacen biws, ac ar fy mhen-blwydd yn hanner cant mi ddaru nhw ordro cacen biws efo seren arni i mi.

Mi ddois i o hyd i ddarn o bapur yn ddiweddar, ac arno un o'r tasgau ar gyfer un wers pan oeddwn i yn Fform 5 (Blwyddyn 11 rŵan). Difyr ydi gweld prisiau'r cynhwysion. Dwi'n cofio hefyd destun fy arholiad lefel O: 'Name four types of rising agents. Make three dishes using three different agents and use two to make an afternoon tea.'

Toad in the hole, *cacen sinsir a sgons wnes i. Roeddan ni wedi dysgu gwneud sgons yn y flwyddyn gyntaf, ac mae'r rysáit mewn llyfr lloffion llawn ryseitiau roeddwn i'n ei gadw pan oeddwn i'n ddeuddeg – efo ryseitiau eraill wnaethon ni yn y flwyddyn gynta: rock cakes, apple crumble, apple charlotte, cheese and potato pie, raspberry buns a jam tarts. Dwi wedi arbrofi efo llawer o ryseitiau sgons ers hynny ac erbyn hyn wedi setlo ar hwn, sydd yn gwneud sgons ysgafn sy'n codi'n dda.*

Cynhwysion

225g blawd bara (*strong bread flour*)

2 lwy de o bowdwr codi

40g menyn oer o'r oergell

1 llwy fwrdd o iogwrt naturiol wedi'i gymysgu efo 150ml o lefrith

1 llwy fwrdd o siwgr mân

1 llwy fwrdd o swltanas

Dull

- Cynheswch y popty i 220°C / ffan 200°C / nwy 7.
- Irwch dun pobi.
- Hidlwch y blawd a'r powdwr pobi i bowlen fawr.
- Rhwbiwch y menyn i'r blawd nes ei fod yn debyg i friwsion bara.
- Ychwanegwch y siwgr a'r swltanas.
- Cymysgwch yr iogwrt a'r llefrith mewn jwg bach a'i ychwanegu fesul ychydig gan ddefnyddio eich dwylo i ddod â'r gymysgedd at ei gilydd yn does. (Efallai na fyddwch chi angen y cwbwl.)

- Trowch y toes allan ar fwrdd wedi'i orchuddio ag ychydig o flawd.
- Rhowch flawd ar rolbren (neu defnyddiwch eich dwylo i siapio'r toes) a rholiwch y toes *yn ysgafn* i drwch o tua 3cm.
- Torrwch gylchoedd allan o'r toes gan ddefnyddio torrwr – gan ei wthio'n siarp i'r toes a'i dynnu'n syth allan; peidiwch â rhoi tro i'r torrwr wrth wneud hyn.
- Rhowch y sgons ar dun pobi a rhoi ychydig o lefrith ar eu pennau.
- Pobwch am ryw 8–12 munud (yn dibynnu ar eich popty) nes bod y sgons wedi codi a'u pennau'n lliw euraid. Mi fydda i'n codi un i weld ei gwaelod i wneud yn siŵr eu bod wedi coginio drwyddynt.
- Mwynhewch gyda menyn neu hufen a jam.

SGONS CAWS
A PHUPUR POETH

Mwya sydyn, ym mis Hydref 2020, mi gollis i'r gallu i flasu unrhyw beth melys ac mi barodd hyn am chwe wythnos. Roedd unrhyw beth melys, nid yn unig yr amlwg gacennau, bisgedi, siocled ac ati ond hefyd bananas, sos coch, bîns, bananas, corn melys, yn blasu fel gwenwyn i mi. Profiad rhyfedd ac anodd oedd methu bwyta dim cacen o fath yn y byd, yn enwedig a minna'n dal i'w gwneud nhw i'r teulu. Mi roeddwn i, fodd bynnag, yn medru bwyta sgons sawrus, a dyma i chi un rysáit o'r fath.

Cynhwysion

225g blawd bara (*strong bread flour*)

2 lwy de o bowdwr codi

40g menyn oer o'r oergell

1 llwy fwrdd o iogwrt naturiol wedi'i gymysgu

150ml llefrith

40g caws aeddfed wedi'i gratio

llond llwy de o baprica (neu bowdwr mwstard)

llond llwy de o hadau seleri

dyrnaid o gennin syfi (*chives*) wedi'u torri'n fân

pinsiad o halen ac ysgeintiad o bupur du

Dull

- Cynheswch y popty i 220°C / ffan 200°C / nwy 7.
- Irwch dun pobi.
- Hidlwch y blawd, y powdwr pobi a'r paprica i bowlen fawr.
- Rhwbiwch y menyn i'r blawd nes ei fod yn debyg i friwison bara.
- Ychwanegwch y cennin syfi a'r caws gan gadw rhywfaint o'r caws i'w roi ar ben y sgons.
- Cymysgwch yr iogwrt a'r llefrith mewn jwg bach a'i ychwanegu fesul ychydig gan ddefnyddio'ch dwylo i ddod â'r gymysgedd at ei gilydd yn does. (Efallai na fyddwch chi angen y cwbwl.)
- Trowch y toes allan ar fwrdd wedi'i orchuddio efo ychydig o flawd.
- Rhowch flawd ar rolbren a rholiwch y toes *yn ysgafn* i drwch o tua 2cm.
- Torrwch gylchoedd allan o'r toes gyda thorrwr, gan ei wthio'n siarp i'r toes a'i dynnu'n syth allan; peidiwch â rhoi tro i'r torrwr wrth wneud hyn.
- Rhowch y sgons ar dun pobi a rhoi ychydig o gaws ar ben bob un.
- Pobwch am oddeutu 11 munud (yn dibynnu ar eich popty) nes bod y sgons wedi codi a'r caws wedi crasu ar eu pennau. Mi fydda i'n codi un i weld ei gwaelod i wneud yn siŵr eu bod wedi coginio drwyddynt.
- Bwytewch yn gynnes neu'n oer gyda thrwch o fenyn wedi'i daenu arnynt.

AMRYWIOL

BARA FFLAT / *FOCACCIA* BLODEUOG

Dwi wrth fy modd yn gneud bara, ac er mod i'n defnyddio fy mheiriant i gymysgu pan fydda i ar frys, pan nad ydi amser yn brin mi fydda i'n tylino â llaw. Mae o'n rhywbeth ymlaciol iawn i'w wneud ac mae'n rhyfeddol gweld gwyrth y toes yn tyfu ar ôl i chi ei adael mewn lle cynnes. Os ydach chi mewn tymer ddrwg, does dim yn well na thylino bara i ollwng stêm! Ac oes yna ogla gwell i lenwi'r gegin na bara ffres yn crasu?

Does dim cymhariaeth rhwng y bara fflat brynwch chi mewn paced yn yr archfarchnad a bara fflat a wnewch chi eich hun. Mae hwn gymaint neisiach – a rhatach, a tydi o ddim yn anodd, dim ond i chi ddilyn y cyfarwyddiadau.

I wneud rhyw 8 bara fflat, *naan* neu fara pita

Cynhwysion

500g blawd cryf (blawd bara)

2 lwy de o furum sych, *fast action*

2 lwy de o halen

2 lwy fwrdd o olew olewydd

300ml dŵr claear

Dull

- Cymysgwch bopeth efo'i gilydd gan ychwanegu ychydig mwy o ddŵr os nad ydi'r toes yn dod at ei gilydd yn hawdd.

- Tylinwch yn dda nes bod y toes yn llyfn. (Gallwch ddefnyddio cymysgydd â bachyn toes i wneud hyn.) Os nad ydych chi'n siŵr sut mae tylino toes, mae digon o glipiau fideo ar y we i ddangos i chi.

- Rhowch gadach llestri (neu *cling film* wedi'i frwsio ag ychydig o olew) dros y bowlen a'i rhoi mewn lle cynnes nes bod y toes wedi dyblu mewn maint (tuag awr).

- Torrwch yn 8 darn a rholio pob darn yn denau (gan roi ychydig o flawd ar y bwrdd rhag iddo lynu).

- Rhowch nhw ar duniau pobi a'u gadael am tua 5 munud.

- Rhowch eich gril ar y gwres uchaf a gadael iddo boethi cyn rhoi'r bara fflat oddi tano (ddim yn rhy agos, achos bydd y bara'n codi'n swigod a gall gyffwrdd yr *element* a llosgi). Trowch y darnau drosodd pan fyddan nhw wedi brownio. Mae gofyn cadw llygad arnyn nhw; maen nhw'n coginio'n sydyn ac mi fedran losgi'n hawdd.

- Mi fedrwch eu gwneud nhw ar y stof mewn padell sych dros wres poeth hefyd, ond mae'n well gen i ddefnyddio'r gril.

- I wneud bara pita, rhowch nhw yn y popty ar y gwres uchaf posib am tua 4 munud gan gadw llygad arnyn nhw rhag iddyn nhw losgi.

- Lapiwch nhw mewn lliain sychu llestri glân i'w cadw nhw'n feddal.

Celfyddyd ydi coginio, meddan nhw. Beth am ymestyn eich creadigrwydd hyd yn oed ymhellach drwy wneud focaccia *blodeuog? Mae'n werth ei wneud petai dim ond am yr arogl fydd yn llenwi'r gegin. Mae'n biti ei fwyta a chwalu'r llun!*

Focaccia blodeuog

Dilynwch y rysáit uchod hyd at bwynt 3.

- Rholiwch y toes yn siâp hirsgwar ar fwrdd ag ychydig o flawd arno, a'i roi ar dun pobi wedi'i iro.
- Brwsiwch olew dros ddarn o *cling film* a'i roi dros y toes, a gadael iddo godi eto am tua 30–45 munud.
- Gadewch iddo godi rhywfaint eto am oddeutu 30–45 munud.
- Cynheswch y popty i 220°C / ffan 200°C / nwy 7.
- Tynnwch y *cling film* ac addurnwch fel y mynnoch gan ddefnyddio beth bynnag sydd gennych: perlysiau, tomatos bach, tsili, pupur bob lliw, olewydd, blodau bwytadwy, nionyn coch, hadau – gadewch eich dychymyg yn rhydd!
- Diferwch ychydig o olew dros y cwbwl ynghyd ag ychydig o halen garw.
- Pobwch am tua 15–20 munud nes bod gwaelod y *focaccia* yn gwneud sŵn o'i daro yn ei waelod.

TSYTNI'R HYDREF

Mae 'na rywbeth cysurlon am wneud tsytni, yn enwedig yn nhymor yr hydref pan fydd y dyddiau'n byrhau ac yn oeri, a'r rhai ohonom sydd wrth ein bodd efo'r Nadolig yn dechrau meddwl ymlaen am y gwledda sydd i ddod. Dyma tsytni sy'n cymryd mantais o'r digonedd o afalau a thomatos sydd o gwmpas ym misoedd Medi a Hydref. Erbyn y Nadolig mi fydd y blas wedi cael cyfle i gyfoethogi, ac mi fydd jest y peth i gael efo'ch cig oer ar ddydd San Steffan. Mi fasa jariau o hwn hefyd yn gwneud anrhegion unigryw a blasus. Mae hwn yn hen rysáit dwi wedi bod yn ei defnyddio ers yr wythdegau.

I wneud rhyw 7 pwys (I wneud llai, hanerwch y cynhwysion)

Cynhwysion

2 bwys afalau coginio wedi'u plicio a'u torri'n ddarnau bach

2 bwys tomatos wedi'u torri'n ddarnau mân

4 nionyn wedi'u malu'n fân

2 ewin garlleg wedi'u gwasgu

sudd 1 lemwn

1 llond llwy fwrdd o hadau mwstard

1 3/4 peint o finegr

1 pwys resins

1 llond llwy fwrdd o bowdwr sinsir

2 lond llwy de o halen

2 bwys siwgr brown meddal

Dull

- Rhowch yr afal, y nionod, y sudd lemwn, y mwstard a hanner y finegr mewn sosban fawr (neu badell jam).

- Codwch i'r berw cyn troi'r gwres i lawr a'i fudferwi am awr nes bod popeth yn feddal.

- Ychwanegwch y resins, y sinsir, yr halen, y siwgr a gweddill y finegr a'i fudferwi am 30–40 munud nes bod y tsytni'n drwchus.

- Rhowch y cyfan mewn jariau sydd wedi'u diheintio.*

- Seliwch, labelwch a chadwch mewn cwpwrdd tywyll.

*I ddiheintio jariau gwydr – Un ai rhowch y jariau mewn peiriant golchi llestri ar wres uchel neu eu golchi'n dda a'u rhoi i sychu mewn popty ar wres 140°C am tua 10–15 munud.

TSYTNI NIONOD COCH

*Catwad ydi'r gair Cymraeg am tsytni, mae'n debyg, ond tsytni dwi wedi'i alw erioed.
Gair sy'n wreiddiol o'r India ydi o, mae'n debyg. Beth bynnag alwch chi o, mae hwn
yn neis iawn efo pate, caws a chig oer.*

Cynhwysion

8 nionyn coch wedi'u
torri'n dafellau tenau

1 llwy fwrdd o olew

100g siwgr brown meddal

100ml finegr gwin coch

100ml gwin coch

llond llwy fwrdd o
driagl pomgranad
(*pomegranate
molasses*)

Dull

- Rhowch y nionod yn yr olew a'u coginio ar
  wres cymedrol am 10 munud.

- Ychwanegwch y siwgr a throi'r cwbwl nes bod
  y siwgr wedi meddalu.

- Ychwanegwch y gwin, y finegr a'r triagl.

- Coginiwch ar wres isel nes bod yr hylif wedi
  anweddu a'r tsytni'n drwchus.

- Gadewch i'r tsytni oeri ychydig cyn ei roi mewn
  jar wedi'i diheintio/jariau wedi'u diheintio.*

***I ddiheintio jariau
gwydr –** Un ai rhowch
y jariau mewn peiriant
golchi llestri ar wres
uchel neu eu golchi'n
dda a'u rhoi i sychu
mewn popty ar wres
140°C am tua 10–15
munud.

TSYTNI BITRWT NAIN

Dyma un o'r ryseitiau yn y llyfr lloffion roeddwn i'n ei gadw pan oeddwn i'n ddeuddeg oed. Rysáit fy nain ydi o. Roedd gan Nain bantri bach nesa at y gegin, ystafell fechan dywyll yn llawn trysorau, a dwi'n cofio gweld rhesi o'r jariau sgleiniog ar y silff bob hydref. Roedd hi hefyd yn gwneud picalili, ond tsytni i oedolion oedd hwnnw yn fy meddwl i – a'i gic yn ormod i fy nhaflod plentyn. Roedd hwn, fodd bynnag, yn felys ac yn edrych ychydig fel jam, ac roeddan ni'n ei gael o bob Dolig efo twrci a ham oer – traddodiad sy'n parhau!

Cynhwysion

3 phwys o fitrwt wedi'u coginio, y croen wedi'i dynnu ac wedi'u torri'n giwbiau bach (I'w coginio, berwch yn gyfan yn eu croen am 30–40 munud, yn dibynnu ar eu maint).

1 pwys a hanner o afalau coginio

2 nionyn mawr

1 peint o finegr

hanner llond llwy de o bowdwr sinsir

1 llwy de o halen

sudd 1 lemwn mawr

1/2 pwys o siwgr

Dull

- Pliciwch a thorrwch yr afalau a'r nionyn yn ddarnau bach.
- Rhowch bopeth heblaw'r bitrwt yn y sosban.
- Codwch nhw i'r berw cyn troi'r gwres i lawr a'u mudferwi am 20 munud.
- Ychwanegwch y bitrwt a'i fudferwi am 15–20 munud arall nes bod y tsytni'n drwchus.
- Rhannwch rhwng jariau sydd wedi cael eu diheintio.*
- Tarwch bob jar ar y bwrdd i gael gwared o unrhyw swigod aer, a'u selio'n syth â chaeadau na fydd yn cael eu heffeithio gan finegr.

Gallwch fwyta hwn yn syth ond mae'r blas yn gwella o gael ei adael am ryw bythefnos. Mi gadwith am flwyddyn heb ei agor mewn cwpwrdd tywyll, ond unwaith rydych chi wedi agor jar, rhaid ei chadw yn yr oergell.

CREMPOGAU IOGWRT
A LLAETH COCONYT

Mae teulu fy nhad yn dod o Sir Fôn, a phan oeddwn i'n blentyn mi roeddan ni'n arfer mynd am dro ar bnawn Sul weithia i weld modryb fy nhad oedd yn byw ym mhentref bychan Hermon, ym mhlwyf Llangadwaladr. Dyna o ble daw fy Nghadwaladr i. Fyddai Dad byth yn rhoi rhagrybudd i Anti Gwyneth druan ein bod am lanio yno, ac mi fyddai hi'n ei ffraeo am hynny gan ddweud y byddai wedi gwneud cacen tasa hi'n gwybod! Roedd hi'n mynnu gwneud rhywbeth i ni, beth bynnag, ac fel arfer crempogau fyddai'r rheiny. Yn wahanol iawn i'r crempogau mawr, tenau fyddai fy mam yn eu gwneud, mi fyddai'r rhain yn fychan ac yn drwchus, efo menyn wedi'i daenu'n dew drostynt. Dwi wedi clywed eu galw'n drop scones *neu* American pancakes, *ac mi fyddwn i'n aml yn gwneud llond platiad i'r plant i'w cadw nhw i fynd rhwng amser dod adra o'r ysgol ac amser te. Dyma i chi fersiwn ychydig yn wahanol – wedi'u gwneud efo llaeth coconyt, a dwi wedi gwahanu'r wy er mwyn eu gwneud yn ysgafnach.*

Cynhwysion

1 cwpanaid o flawd codi

1 cwpanaid o laeth coconyt

1 wy wedi'i wahanu

ychydig o fenyn i ffrio

Dull

- Mewn powlen fawr curwch y blawd, y llaeth coconyt a'r melynwy yn dda.

- Chwipiwch y gwynnwy nes ei fod yn ysgafn, ac yna ei droi'n ofalus i'r gymysgedd.

- Rhwbiwch ychydig o fenyn ar radell neu badell â gwaelod trwchus a'i chynhesu ar y stof neu'r hob.

- Pan fydd y badell yn boeth, tywalltwch lwyaid o'r cytew (*batter*) iddi gan gadw digon o le rhwng pob crempogen.

- Pan fydd swigod yn ymddangos ar dop y crempogau, trowch nhw drosodd a'u coginio ar yr ochr arall am ryw 30–60 eiliad.

- Mae'r rhain yn flasus wedi'u gweini efo iogwrt blas coconyt a surop masarn (*maple syrup*) a/neu ffrwythau meddal megis mafon, mefus neu fwyar duon.

CYFFUG SIOCLED A CHNAU

Bob Dolig mi fyddai Mam yn mynd i drafferth yn addurno'r tŷ a pharatoi danteithion. Mi fyddai hi'n dechrau hel petha da wythnosau cynt a'u cuddio yn y llofft. Noswyl Nadolig mi fyddai'n rhoi serviette *coch ar fyrddau hyd y tŷ ac yn rhoi powlenni o dda-da a chnau arnyn nhw; Quality Street oedd y da-da yn y bowlenni gan amla. Ond roedd yna hefyd focseidiau o dda-da eraill: peanut brittle, nougat, sugared almonds, jelly slices, New Berry Fruits a chnau Brasil mewn siocled, butterscotch a thaffi triog Nain. Oedd, roedd gan Mam ddant melys!*

Mae 'na ryw awydd yn dod drosta i bob Dolig i neud da-da – taffi, cyffug (fudge), tryffls ac yn y blaen – efo'r bwriad o'u rhoi'n anrhegion, ond anamal maen nhw'n gadael tŷ ni! Mae gwneud danteithion fel hyn yn gallu bod yn dipyn o strach, a gan fod y Dolig yn amser digon prysur fel mae hi, dyma i chi rysáit hawdd iawn!

Cynhwysion

400g siocled tywyll

1 tun 397g o laeth wedi cyddwyso (*condensed milk*)

25g menyn

100g siwgr eisin

50g cnau o'ch dewis wedi'u malu'n ddarnau bach

Dull

- Rhowch y siocled, y menyn a'r llaeth mewn sosban a'u cynhesu'n araf nes bod y siocled wedi toddi'n llwyr.
- Hidlwch y siwgr eisin i'r gymysgedd.
- Ychwanegwch y cnau a'u cymysgu'n dda.
- Gwasgwch i dun sgwâr 20cm × 20cm wedi'i leinio â phapur pobi.
- Rhowch yn yr oergell am tua chwarter awr i ddechrau caledu cyn ei dynnu allan a'i farcio'n sgwariau.
- Rhowch y cyffug yn ôl yn yr oergell am ryw dair awr i setio'n llwyr.
- Torrwch yn sgwariau, gan roi blaen eich cyllell mewn mygiad o ddŵr poeth bob hyn a hyn er mwyn sicrhau toriad taclus.

SALAMI SIOCLED

Na, tydi hwn yn ddim byd i'w neud efo cig! Ond mae o'n edrych fel salami! Mi fyddai'n gwneud anrhegion Nadolig unigryw a phersonol.

Cynhwysion

300g siocled tywyll safonol

100g siocled golau

100g menyn

50g cnau almwn mân

50g cnau pistasio

50g unrhyw ffrwythau wedi'u sychu, e.e. swltanas, resins, llugaeron (*cranberries*)

2 fisgeden *shortbread* neu *digestive* wedi'u malu'n ddarnau ond nid yn llwch

2 lond llwy fawr o frandi ceirios (dewisol)

1 llwy fwrdd o siwgr eisin

Dull

- Toddwch y menyn a'r siocled mewn powlen uwchben sosbennaid o ddŵr sy'n mudferwi, gan ofalu nad yw gwaelod y bowlen yn cyffwrdd y dŵr.

- Tynnwch y bowlen oddi ar y gwres ac ychwanegwch weddill y cynhwysion (heblaw'r siwgr eisin).

- Rhowch orchudd dros y bowlen a'i rhoi yn yr oergell am awr nes bod y gymysgedd yn ddigon trwchus i chi fedru ei rholio.

- Taenwch y siwgr eisin ar y bwrdd.

- Cymerwch hanner y gymysgedd a'i siapio'n siâp salami trwchus.

- Gwnewch yr un fath efo gweddill y gymysgedd.

- Lapiwch nhw'n dynn mewn *cling film* a'u rhoi yn yr oergell i orffen caledu.

- Rholiwch nhw mewn siwgr eisin ar ôl iddyn nhw galedu.

DA-DA MINT

Roedd fy mhen-blwydd yn ddeunaw yn digwydd bod ar ddydd Sul ac mi aeth fy mam a nhad, fy mrawd a minnau i Blas Maenan, Llanrwst, i gael cinio i ddathlu. Ar y ffordd adra mi gymerodd Dad ei amser, gan fynd â ni ar hyd ffordd hirach na'r arfer a finna'n methu dallt pam. Mi ddeallais ar ôl cyrraedd. Cerddais i fewn i'r tŷ a chael sioc fy mywyd o weld llond y gegin o ffrindia – wedi trefnu parti syrpréis i mi, a finna wedi amau dim. Roedd pawb wedi dod â danteithion efo nhw a dwi'n cofio i un ffrind ddod â phlatiad o peppermint creams yr oedd hi a'i mam wedi'u gwneud. Rhai tebyg i'r rheini ydi'r rhain. I wneud rhai blas oren, newidiwch y rhinflas mint am ychydig o ddiferion o rinflas oren. Mi fyddai'r rhain yn betha hawdd iawn i'w wneud efo plant a'u rhoi'n anrhegion Nadolig neu ar Sul y Mamau.

Cynhwysion

250g siwgr eisin

1 gwynnwy

ychydig ddiferion
  o rinflas mint
  (*peppermint essence*)

dropyn neu ddau
  o liw gwyrdd

125g siocled tywyll

Dull

- Ychwanegwch y rhinflas mint a'r lliw gwyrdd i'r gwynnwy a'u cymysgu i mewn i'r siwgr eisin fesul ychydig nes bod gennych belen o eisin.

- Taenwch ychydig o siwgr eisin ar eich dwylo ac ar y bwrdd.

- Torrwch ddarnau bach o'r eisin (tua maint tomato bach) a'u rholio'n beli, ac yna gwasgu pob pelen yn fflat nes ei bod tua 5mm o drwch.

- Rhowch y da-da ar blât am ychydig oriau i sychu.

- Pan fydd yr eisin wedi caledu rhywfaint, toddwch y siocled ar wres canolig yn y microdon neu mewn powlen uwchben sosbennaid o ddŵr yn mudferwi.

- Diferwch y siocled dros y da-da neu trochwch nhw yn y siocled a'u gosod yn ôl ar y plât i galedu. Gallwch drochi dim ond eu hanner, os mynnwch.

- Cadwch nhw mewn tun neu botyn lle na all aer fynd atynt.

MEFUS MEWN SIOCLED

Weithia, y syniadau symla ydi'r rhai gorau, a dyma i chi drît bach hawdd sydd hefyd yn iachus – o fath! Mae'n rhywbeth fedrwch chi ei wneud efo'r plant i'w diddori, neu'n gyfle i chi ddangos eich ochr artistig! Gallwch ddefnyddio'r rhain i'w rhoi yng nghanol y bwrdd bwyd yn lle jwg o flodau.

Cynhwysion

siocled – du, brown neu wyn, neu gymysgedd o'r tri lliw

mefus

priciau pren hir (sgiwers)

unrhyw beth i addurno, e.e. *hundreds and thousands*, peli bach, siwgr grisial, cnau wedi'u malu'n fân

Dull

- Rhowch sgiwer drwy ganol pob mefusen a'u gosod fel tusw mewn gwydr neu fas.
- Toddwch y siocled un ai yn y microdon ar wres cymedrol neu mewn powlen uwchben sosbennaid o ddŵr yn mudferwi.
- Gosodwch eich addurniadau allan yn barod, e.e. y peli bach ar soseri.
- Trochwch y mefus fesul un yn y siocled, disgwyliwch iddo galedu am ychydig eiliadau ac yna'u trochi yn y peli bach, siwgr grisial neu beth bynnag sydd gennych.
- Gosodwch nhw yn ôl yn y gwydr.
- Os ydych am beipio patrwm efo'r siocled lliw gwahanol, gadewch i'r siocled setio cyn dechrau.

JIN MWYAR DUON

Dwi'n ystyried fy hun yn freintiedig i fyw yn y wlad, a dwi'n gwerthfawrogi mawredd a rhyfeddod byd natur o'm cwmpas. Mi fydda i'n cael llawer o ysbrydoliaeth o gerdded yn y bryniau o gwmpas fy nghartref, ac yn aml dyna pryd fydda i'n meddwl am syniadau ar gyfer fy ngwaith sgwennu – yn dyfeisio'r plotiau ac yn creu cymeriadau. Mae'r teulu'n ei chael hi'n anodd credu pan fydda i'n deud mod i wedi bod yn gweithio tra mod i'n mynd am dro! Mae fy sylw'n aml yn cael ei ddwyn at rywbeth neu'i gilydd, fodd bynnag, a phan ddaw diwedd yr haf a'r mwyar duon yn llenwi'r perthi mae'n gas gen i eu gadael yna, felly eu hel sydd raid. Pan oedd gen i gi, roedd gen i wastad fagiau baw ci yn fy mhoced, ac yn aml yn y rheini y byddwn i'n casglu'r mwyar. Mae ambell flwyddyn yn rhoi mwy o fwyar i ni na'r arfer, felly be i'w wneud efo nhw i gyd? Dim ond hyn a hyn o dartenni, crymbls a jam all rhywun ei fwyta! Felly, dyma neud jin – rhywbeth gadwith am hir, sy'n dda i'w roi'n anrheg mewn poteli bach deniadol, ac sy'n ffasiynol iawn ar y foment.

Cynhwysion

250g mwyar duon

110g siwgr

70cl jin

Dull

- Golchwch jar wydr fawr yn dda (un Kilner fydda i'n ei defnyddio) a'i rhoi mewn popty ar wres o 180°C / ffan 160°C / nwy 4 am 15 munud i'w diheintio. Os oes gan y jar sêl rwber, tynnwch honno'n gyntaf a'i berwi mewn sosban am gwpwl o funudau.

- Gadewch i'r jariau sychu ohonynt eu hunain.

- Golchwch y mwyar duon yn dda a'u rhoi yn y jar efo'r jin a'r siwgr.

- Rhowch ysgytwad da i'r jar a'i chadw mewn cwpwrdd tywyll.

- Ysgydwch y jar unwaith y dydd am wythnos neu nes bod y siwgr i gyd wedi toddi.

- Ar ôl mis hidlwch y ddiod i mewn i boteli sydd wedi'u diheintio. Er mwyn cadw'r ddiod yn glir, peidiwch â gwasgu'r mwyar.

Peidiwch â gadael i'ch ryseitiau teuluol fynd yn angof! Dyma le i chi eu nodi:

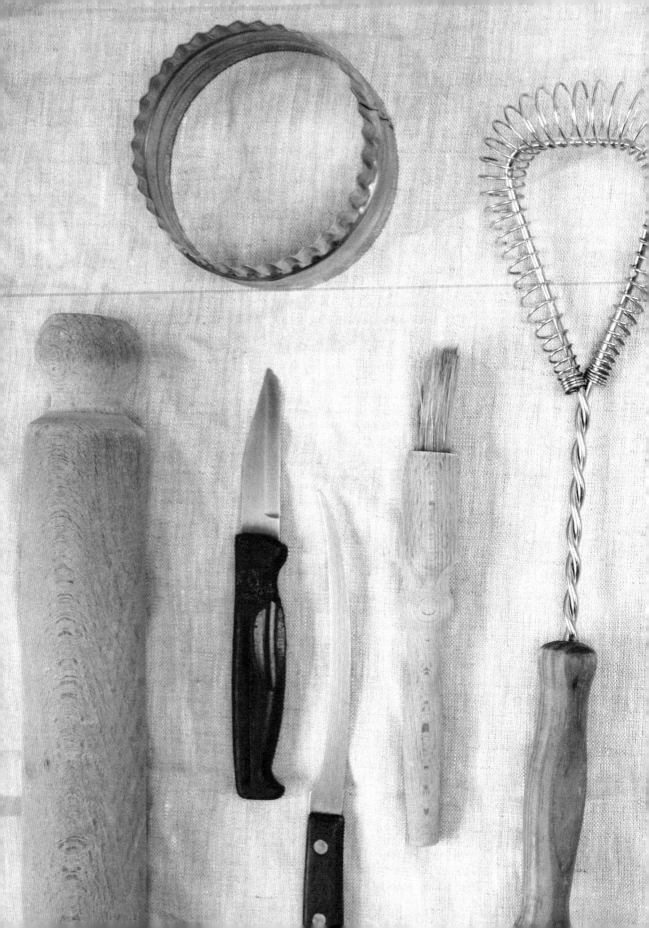